Responsabiliser son enfant

De Germain Duclos, dans la même collection:

Guider mon enfant dans sa vie scolaire
L'estime de soi, un passeport pour la vie
L'estime de soi des adolescents (coauteur)

La Collection de l'Hôpital Sainte-Justine

pour les parents

Responsabiliser son enfant

Germain Duclos et Martin Duclos

Éditions de l'Hôpital Sainte-Justine

Centre hospitalier universitaire mère-enfant

Catalogage avant publication de la Bibliothèque et Archives Canada

Duclos, Germain

Responsabiliser son enfant

(Collection de l'Hôpital Sainte-Justine pour les parents)

Comprend des réf. bibliogr.

ISBN 2-89619-033-3

1. Responsabilité chez l'enfant. 2. Enfants - Discipline. I. Duclos, Martin. II. Titre. III. Collection.

HQ770.4.D82 2005 649'.64 C2005-941623-8

Illustration de la couverture : Philippe Beha

Infographie : Folio infographie

Diffusion-Distribution au Québec : Prologue inc.
en France : CEDIF (diffusion) — Casteilla (distribution)
en Belgique et au Luxembourg : S.A. Vander
en Suisse : Servidis S.A.

Éditions de l'Hôpital Sainte-Justine (CHU mère-enfant)
3175, chemin de la Côte-Sainte-Catherine
Montréal (Québec) H3T 1C5
Téléphone : (514) 345-4671
Télécopieur : (514) 345-4631
www.hsj.qc.ca/editions

ISBN 2-89619-033-3

Dépôt légal : Bibliothèque nationale du Québec, 2005
Bibliothèque nationale du Canada, 2005

À un merveilleux garçon, Barthélemy Duclos,
petit-fils et fils des auteurs, porteur d'amour,
de joie, de force et d'espoir.

Remerciements

Je tiens à remercier les personnes suivantes qui m'ont aidé dans la réalisation de ce livre:

mes enfants, Martin et Sophie, qui m'ont fait vivre avec amour ma responsabilité parentale;

Sylvie Bourcier, ma conjointe et ma merveilleuse complice, qui nous a fait des suggestions judicieuses tout au long de notre projet;

Luc Bégin, pour sa confiance et la grande patience qu'il a manifestée au cours de ce projet;

Marguerite Béchard, pour sa disponibilité et son travail exceptionnel.

Enfin, je tiens à remercier tous les parents et leurs enfants ainsi que les enseignants et les éducateurs qui nous ont inspirés pour la réalisation de ce livre grâce à leurs précieux témoignages.

Germain Duclos

Merci à ma mère Jeannine Bélec, qui s'est beaucoup dévouée pour ma sœur et pour moi et que je vois avec bonheur aujourd'hui en compagnie de son petit-fils qu'elle adore.

Merci à mon père Germain qui m'a beaucoup appris dans la vie et qui continue de le faire. J'ai tout de même eu l'opportunité de lui apprendre une chose ou deux...

Merci à ma conjointe Isabelle, compagne merveilleuse et admirable mère.

Et merci à mon petit Barthélemy qui fut quelque peu privé de son père pendant la réalisation de cet ouvrage.

Martin Duclos

Table des matières

AVANT-PROPOS 11

INTRODUCTION 13

Chapitre 1
DÉVELOPPER LE SENS DES RESPONSABILITÉS 19
Du principe de plaisir au principe de réalité 24
Les perceptions des relations entre les causes et leurs effets 28
La pensée magique 32
L'éclatement de l'égocentrisme 35
La conscience morale 44

Chapitre 2
LA RESPONSABILITÉ PARENTALE 49
Qu'est-ce que la discipline ? 49
Les obstacles sociaux à la discipline 56
Pauvreté et isolement social 57
Le phénomène de la négligence 60
Le manque de temps 65
L'influence des amis 70
Les résistances des parents face à la discipline 78

Chapitre 3
L'AUTORITÉ PARENTALE 85
Assumer son rôle d'autorité parentale 86
Établir une distance 91
Le pouvoir d'agir 95
Viser un juste équilibre 98
La conscientisation du sens des responsabilités 105

CHAPITRE 4
LA DISCIPLINE, POUR DÉVELOPPER
LE SENS DES RESPONSABILITÉS 111
Des règles de conduite sécurisantes 111
D'une discipline répressive à une discipline incitative 119
Qu'est-ce qu'une discipline répressive ? 120
Qu'est-ce qu'une discipline incitative ? 130
La responsabilité de ses apprentissages 135

CHAPITRE 5
LA RESPONSABILITÉ EN ACTION 145
Les conséquences 145
Quelques conseils pratiques 148
Éviter les étiquettes 154
Cinq exemples types 158

CHAPITRE 6
CONFIER DES RESPONSABILITÉS AUX ENFANTS 165
La problématique de la responsabilité
chez les enfants d'aujourd'hui 165
Droits et responsabilités sont liés 166
Un petit survol historique :
l'exemple du Québec 167
La famille d'aujourd'hui 168
Quelques changements dans les
structures familiales 169
Les différences entre garçons et filles 171
Les responsabilités 174

CONCLUSION 183

RESSOURCES 187

AVANT-PROPOS

Voici près de 2 ans, au Stade olympique de Montréal, une conversation entre un père et son fils lors d'un match de football entre les Alouettes de Montréal et les Argonauts de Toronto.

Germain : Crois-tu que ce sera un bon match ?

Martin : (D'un air distrait) Oui.

Germain : Tu as l'air préoccupé.

Martin : Isabelle doit accoucher bientôt, cela pourrait se faire pendant le match et… si mon portable ne fonctionne plus… si je ne l'entends pas…

Germain : Tu devrais appeler Isabelle.

Martin : Tu as raison.

Germain : (Avec un air de grande sagesse) Tout ira bien, j'en suis certain !

(Plus tard) Martin : Tout va bien.

Germain : Tu commences à comprendre ce que sont les responsabilités pour un parent !

Martin : C'est sûr !

Germain : Il me semble qu'il y a peu de choses écrites là-dessus…

Pendant le reste du match, Martin est plutôt distrait, consulte son portable et appelle à quelques occasions à la maison. Le match se termine par une victoire de Montréal.

Barthélemy Duclos est né quelques jours plus tard.

Et une belle aventure commence…

Introduction

Les enfants d'aujourd'hui revendiquent beaucoup plus leurs droits que ceux d'autrefois. Ils contraignent les parents à de fréquentes négociations parce qu'ils veulent obtenir des privilèges et des biens de consommation. Parents et enfants vivent dans une société qui accorde beaucoup d'importance à l'apparence et à l'argent. Ces deux valeurs font que l'on se centre sur les ambitions individuelles. Cet égocentrisme réduit le sens des responsabilités. Les parents sont victimes de cette pression sociale et ils ont tendance à accorder plus d'importance à la consommation et aux résultats qu'à la responsabilité. Ces deux valeurs qui prédominent à notre époque risquent de transformer la société en une addition d'individus égocentriques et isolés. Malgré la multitude de moyens de communication qui existent aujourd'hui et qui devraient favoriser des rapports continus entre les humains, il n'y a jamais eu autant de solitude chez les adultes et chez les enfants. Ce paradoxe s'explique par le fait que la société actuelle nous invite à entrer en contact avec beaucoup de gens plutôt qu'à établir des relations continues, ce qui est indispensable pour apprendre à assumer ses responsabilités.

Les médias rapportent souvent les inquiétudes des parents, des éducateurs et des enseignants concernant une augmentation de la violence à l'école et dans la société. Beaucoup d'enseignants, éducateurs et moniteurs se plaignent de l'impolitesse des enfants, de leur vulgarité dans les injures à leur égard, en somme d'un grand manque de respect envers l'autorité. Des intervenants en éducation constatent que de plus en plus d'enfants sont rapidement familiers avec eux, sans inhibition, comme s'il n'y avait plus de distance naturelle entre les enfants et les adultes.

Beaucoup d'enseignants et d'éducateurs rapportent que la violence et le vandalisme augmentent, même chez les jeunes enfants. La violence constitue l'un des grands problèmes auquel l'école doit faire face, quotidiennement et sous plusieurs formes[1] : abus verbal, agressions physiques, intimidation, intolérance, racisme, vandalisme, etc. De nombreuses écoles se retrouvent devant ce problème qui s'amplifie sans cesse. On cherche des moyens d'y remédier.

Les causes de ces désordres ne sont pas toutes reliées à l'école : « ... le tempérament de l'enfant, la structure et le mode de fonctionnement de la famille, la pauvreté, l'isolement social, le manque de ressources pour les personnes en difficulté, certains modèles de conduites agressives véhiculés par les médias et parfois encouragés par les groupes d'enfants, voilà autant de facteurs pouvant concourir à déstabiliser le développement socio-affectif de l'enfant pour mener ensuite à l'émergence de conduites violentes[2] ».

Nous croyons beaucoup à l'importance de l'estime de soi comme facteur de prévention des désordres du comportement. Tout être humain possède une valeur intrinsèque, indépendamment de ses possessions matérielles et de sa performance. Le plus important, c'est qu'il en soit conscient. L'estime de soi constitue une base à partir de laquelle l'enfant parvient à s'adapter. Elle constitue en quelque sorte un réservoir conscient de ses forces et de ses capacités qui lui permettent de relever des défis. Elle ne constitue nullement un sentiment d'admiration de soi-même associé à de l'égocentrisme, à des sentiments de grandeur et d'omnipotence. Le vrai sens du concept de l'estime de

1. R. E. Tremblay. « La violence physique chez les garçons : un comportement à comprendre et à prévenir ». *Revue Interface* 1990 1:12-18.

2. Y. Lapointe, F. Bowen et M. C. Laurendeau. *Habiletés prosociales et prévention de la violence en milieu scolaire.* Montréal : Direction de la Santé publique Montréal Centre. 1994, 3 vol.

soi est dans cette déclaration d'engagement du Comité d'action californien pour la promotion de l'estime de soi :

> « Je m'engage à m'apprécier à ma vraie valeur et selon mon importance réelle, et à être constamment responsable de moi comme de mes actions envers les autres. »

Dans cette déclaration, on incite les gens à être responsables d'eux-mêmes et des autres. Cela suppose un dépassement de son égocentrisme et la conviction qu'il n'y a pas de liberté sans responsabilité personnelle et sociale.

Ainsi, il est primordial que les parents enseignent à leurs enfants leurs responsabilités envers les autres. Pour un enfant, la famille constitue la première niche sociale et la première école de sa vie. C'est dans celle-ci qu'il s'initie à la vie en société. De là l'importance de l'attachement et de liens étroits que l'enfant tisse avec ses parents. C'est grâce au soutien de ces derniers qu'il parvient à dépasser son égocentrisme, à tenir compte des autres, à devenir responsable. Il apprend ainsi à communiquer, à s'affirmer, à respecter les règles établies, à faire des choix et à assumer des responsabilités. Tout parent doit guider son enfant pour l'aider à intégrer le sens des responsabilités dans sa conscience morale en développement. L'enfant doit comprendre qu'il a d'abord le devoir de maîtriser son comportement et d'être responsable envers les autres. Ainsi, tout parent devrait amener son enfant à réfléchir sur le sens et sur les conséquences de ses choix, pour lui et pour son entourage.

Ce livre a été écrit par un père et son fils qui ont épousé la même profession d'engagement face aux enfants. Ce fut une expérience très riche de discussions et de partage des valeurs. Tous les deux, nous avons vécu le sens des responsabilités, l'un comme père et l'autre, le fils, en tant qu'enfant, adolescent et adulte. Le fils est devenu père à son tour et il a la responsabilité de transmettre à son enfant l'héritage qu'il a reçu. C'est une belle histoire d'amour intergénérationnelle.

Ce livre n'a pas la prétention d'être à la fine pointe des recherches scientifiques. Il est avant tout l'œuvre de deux praticiens qui se sont efforcés au cours des années d'écouter les propos et de décoder les besoins des enfants et de leurs parents. Il s'appuie sur des fondements théoriques et pratiques, accessibles au public.

Il y a deux significations à l'expression « responsabiliser son enfant ». Il s'agit d'abord de lui confier ses responsabilités, de lui donner des tâches à accomplir. Les parents font cela depuis toujours. Les changements dans les structures familiales et dans l'ensemble de la société ont influencé cette pratique. L'expression a aussi une deuxième signification, celle qui consiste à guider son enfant en l'aidant à prendre conscience de ses responsabilités afin qu'il les assume. Éduquer un enfant, c'est donc l'entraîner à la responsabilité*, lui montrer à être responsable, le rendre de plus en plus conscient et capable de faire des choix personnels. Bref, c'est l'amener à être responsable de lui-même et de ses actes.

Le premier chapitre traite du développement du sens des responsabilités chez l'enfant tant du point de vue de l'évolution de ses capacités intellectuelles que du point de vue de la conscience morale en développement. Le deuxième aborde la question de la responsabilité parentale et des obstacles qui l'entravent. Tenant compte du fait que le sens des responsabilités a un caractère contagieux, le troisième chapitre parle d'influence ; tout parent doit faire figure d'autorité aux yeux de l'enfant en visant un juste équilibre entre le laisser-faire et la rigidité. L'importance d'une saine

* Le mot « responsabilité » vient du latin « respondere » qui veut dire *répondre*. Du point de vue étymologique, la responsabilité est l'aptitude à répondre de ses actes.

discipline afin que l'enfant devienne responsable de lui-même et des autres, voilà qui constitue l'essentiel du quatrième chapitre Le cinquième chapitre suggère des stratégies et des moyens pour que la responsabilité de l'enfant soit vécue concrètement dans l'action. Finalement, le dernier chapitre traite des tâches et responsabilités que les parents peuvent confier aux enfants selon les âges et dans le contexte de la famille d'aujourd'hui.

Un enfant responsable est d'abord un être qui s'affranchit d'un état de dépendance pour faire ses propres choix et se prendre en main. Il doit aussi persévérer dans ses efforts pour atteindre les buts qu'il se fixe. L'acquisition de ces capacités d'autonomie et de responsabilité exige chez l'enfant un long chemin à parcourir, et c'est sur ce chemin que ses parents doivent le guider.

CHAPITRE 1

DÉVELOPPER LE SENS DES RESPONSABILITÉS

▼

Éduquer un enfant exige de parcourir un long chemin, parsemé de découvertes et de joies, mais aussi d'angoisses et d'imprévus. C'est une aventure extraordinaire qui fait grandir dans l'amour, aussi bien les parents que l'enfant. Éduquer un enfant, c'est un cadeau pour l'humanité, car sans enfants, il n'y aurait plus d'avenir et sans avenir ce serait le néant. On peut donc dire que l'enfance est la renaissance de l'humanité.

En éduquant un enfant, on remplit deux tâches fondamentales : on satisfait ses besoins et on lui transmet des valeurs. Ces deux grandes responsabilités parentales s'échelonnent sur plusieurs années, de la naissance à l'âge adulte.

Dans la vie, il n'y a pas de tâches plus importantes que celle d'être parent. Pourtant, les gens qui assument cette responsabilité sont souvent mal préparés. Il n'y a pas de formation pour être parent. Ce rôle s'apprend sur le terrain, « in vivo » et « rapido », car les besoins de l'enfant n'attendent pas. De plus, la responsabilité parentale est d'autant plus difficile à assumer que le bébé humain est le plus dépendant de tous les mammifères. Chez le veau, par exemple, le petit est déjà sur pattes quelques minutes après sa naissance et il tète de lui-même, ce qui est loin d'être le cas chez l'humain.

La naissance du premier enfant provoque donc la rencontre de deux fragilités : celle du parent, qui n'est sûr de rien et doit tout apprendre de son nouveau rôle, et celle du bébé, qui vit dans une situation de grande vulnérabilité. Toutefois, les difficultés inhérentes à ces fragilités sont réduites grâce à deux attitudes fondamentales : la capacité d'attachement et l'empathie.

Le fait de tomber amoureux du bébé enrichit grandement le rôle éducatif des parents, car leur attachement établit avec l'enfant des liens permanents et inconditionnels. Ce sentiment servira de fondement à l'enfant, qui apprendra ainsi à accepter les demandes de ses parents, à développer son autonomie et à vivre des rapports harmonieux avec son entourage. Le fait de se sentir aimé nourrit l'enfant sur le plan affectif et lui donne le sentiment d'avoir une valeur intrinsèque. Un tel lien alimente aussi la capacité d'empathie du parent qui se décentre de lui-même pour offrir son temps et son attention à l'enfant, pour décoder et comprendre ses besoins et pour y répondre le plus possible, jusqu'à son adolescence.

Selon Erikson[1], le parent doit autant s'éduquer qu'il éduque son enfant. En effet, tout parent doit s'adapter au tempérament, au rythme et aux caractéristiques de son enfant, de la même manière que ce dernier doit s'adapter à ses parents. Une saine éducation exige continuellement que chacun des partenaires s'adapte à l'autre.

À l'arrivée du bébé, le parent entame une longue aventure, qui consiste essentiellement à guider son enfant pour le faire passer de la dépendance totale à l'autonomie, ainsi qu'au sentiment de sa responsabilité, tout en satisfaisant ses besoins de développement. Cela suppose qu'au fil des ans, le parent s'éloigne peu à peu de son enfant. Celui-ci en arrivera même à pouvoir se retrouver seul. D'ailleurs, chaque fois que l'enfant apprend des choses nouvelles, il s'affranchit de ses parents. Cela provoque souvent une certaine ambivalence, tant chez les parents que chez l'enfant. Ce dernier cherche à s'affirmer par des

1. E. H. ERIKSON. *Enfance et société*. Neuchâtel : Delachaux et Niestlé, 1966.

gestes d'autonomie, tout en désirant, consciemment ou non, rester dans une dépendance confortable. Quant aux parents, ils sont généralement fiers de voir progresser leur enfant, mais ils constatent en même temps que celui-ci s'éloigne d'eux en faisant des progrès. Les parents aussi ont parfois peur d'être seuls, malgré cette loi de l'existence : nous naissons à deux (mère et bébé), mais nous mourons seuls. De la part de la mère et du père, l'éducation suppose donc un renoncement de soi, car il faut aimer son enfant pour favoriser son autonomie ou son indépendance.

Le dictionnaire définit l'autonomie comme le droit ou la liberté de se gouverner selon ses propres lois. Pour l'enfant, l'autonomie consiste à rompre des liens de dépendance avec l'entourage et à faire des choix personnels. Cette double capacité n'apparaît pas soudainement chez l'enfant. Elle s'acquiert progressivement, selon le rythme avec lequel l'enfant apprend. L'acquisition de l'autonomie est largement favorisée d'abord par l'attitude des parents et ensuite par celle des adultes avec lesquels l'enfant tisse des relations affectives.

L'apprentissage de l'autonomie se déroule par étapes, selon un processus naturel de développement, par des apprentissages dont la qualité et le rythme varient d'un enfant à l'autre. Pensons à tout ce que l'enfant doit apprendre pour acquérir son autonomie : marcher, parler, devenir propre, s'habiller, etc. Chez tout enfant, il y a des évolutions subites et des régressions temporaires.

Ce qui nuit le plus à l'autonomie, mis à part le manque de stimulation, c'est la surprotection. Surprotéger un enfant, c'est faire quelque chose à sa place alors qu'il en a la capacité. Si elle est fréquente, cette attitude est très nocive. Quand les parents font les choses à la place de l'enfant alors que celui-ci en est capable, ils le maintiennent dans un état de dépendance. Une telle attitude est désastreuse pour l'enfant. En faisant souvent les choses à la place de l'enfant, les parents lui font comprendre qu'il n'est pas capable de les effectuer lui-même.

Les parents doivent favoriser l'autonomie, tout en évitant de le faire trop vite. S'ils imposent à l'enfant des attentes trop élevées par rapport à son niveau de développement, ils risquent de lui faire vivre du stress de performance et des échecs qui saperont le sentiment de sa valeur.

En plus de favoriser l'autonomie chez leur enfant, les parents doivent l'aider à devenir responsable de lui-même, à prendre conscience de ce qu'il fait et de ce qu'il dit, et à en assumer les conséquences. En général, les enfants ont une bonne connaissance de leurs droits et de leurs libertés. Toutefois, on peut penser que la responsabilité est une revendication logique des conséquences de notre liberté. Ainsi, l'autonomie et la liberté ne pourraient émerger sans la responsabilité individuelle. La société repose sur la capacité des humains à agir de façon responsable. La plupart des parents souhaitent que leurs enfants deviennent autonomes. Ils veulent également que leurs petits s'aperçoivent qu'ils peuvent se maîtriser et qu'ils ont de l'influence sur les autres. Cependant, les parents doivent user avec modération et respect de leur autorité. En fait, peu de parents montrent à leurs enfants qu'ils ont des responsabilités, même parmi ceux qui croient en cet idéal. Les parents croient souvent faciliter la vie de leurs enfants en leur évitant d'être trop vite responsables et, sans le vouloir, ils nuisent ainsi à leur développement.

Le dictionnaire définit la responsabilité comme étant « l'obligation ou la nécessité morale, intellectuelle, de réparer une faute, de remplir un devoir, un engagement ». Si nous cherchons à enseigner aux enfants et aux adolescents à être responsables, il est fort possible que nous soyons perçus comme moralisateurs. Une telle attitude n'incite pas beaucoup les jeunes à agir de façon responsable. Il est beaucoup plus profitable de montrer peu à peu à l'enfant à prendre conscience des conséquences de ses gestes et de ses paroles, et de lui faire découvrir leurs effets sur l'environnement physique et social, ainsi que sur sa propre personne. Cette prise de conscience doit survenir de plus en plus souvent à mesure que l'enfant grandit.

Tout parent serait très fier si son enfant apprenait précocement à être responsable en se prenant en charge et en s'assumant. Toutefois, cette capacité s'acquiert par un long apprentissage. Dans la vie de tous les jours, il est souvent difficile d'amener les enfants à respecter les autres ou à leur faire attention, à accomplir des tâches simples, comme de faire leur lit, de se brosser les dents, d'étudier et de faire leurs devoirs, ou encore d'effectuer de petites tâches ménagères. De là l'importance d'une discipline incitative.

En général, dans la société, on considère qu'une personne est responsable quand elle accomplit avec persévérance les tâches qu'on lui confie, qu'elle est fiable dans ses promesses et se comporte en citoyen respectueux des autorités et des lois. La plupart des parents partagent un tel projet éducatif, bien que celui-ci ne puisse être atteint qu'à long terme et progressivement. Cela suppose que le jeune a atteint une maturité psychologique. En effet, pour adopter des conduites responsables, il faut avoir de l'autonomie, un bon jugement, de l'empathie et la capacité de se décentrer de ses propres besoins pour considérer ceux des autres. La personne doit aussi avoir bien intégré certaines valeurs humanistes.

Acquérir le sens de sa responsabilité personnelle suppose aussi que l'on soit conscient de ses actes et de ses paroles, ainsi que de leurs conséquences. Cela veut dire qu'il faut réparer ses fautes, remplir ses devoirs et prendre soin des autres. Pour y arriver, on s'inspire des adultes qui sont des modèles ou des figures d'autorité et on intègre les valeurs morales qui nous ont été transmises.

Il s'agit d'un long processus éducatif que les parents doivent vivre au quotidien avec leurs enfants. Acquérir le sens des responsabilités requiert certains préalables. Les parents doivent guider les enfants pour les aider à passer du principe de plaisir au principe de réalité, à saisir les relations logiques de cause à effet, à passer de la projection à l'auto-évaluation et de la pensée magique à la pensée logique, et à faire éclater leur égocentrisme en leur transmettant des valeurs par des règles de conduite et par l'exemple.

Du principe de plaisir au principe de réalité

Plus l'enfant est jeune, plus il a tendance à fonctionner selon le principe de plaisir. En psychologie[2], on décrit ce principe comme la « tendance à chercher des satisfactions immédiates et à éviter les efforts, sans s'adapter à la réalité ». Ce concept a été développé à quelques reprises, entre autres par Sigmund Freud[3]. Ce principe de plaisir est essentiel pour la survie du bébé, car il constitue une recherche instinctive de satisfaction des besoins biologiques et psychologiques. L'enfant ressent ces besoins comme une tension désagréable et pénible qu'il ne peut éliminer par lui-même. Pour chasser la tension ou la douleur, il s'active en pleurant, en s'agitant et en se débattant.

Le principe de plaisir constitue la toute première motivation de l'être humain. C'est grâce à une régularité des adultes à satisfaire ses besoins que le bébé finit par associer ses satisfactions à ces figures stables. On assiste alors à un premier éclatement de l'égocentrisme et du narcissisme primaire, car le petit commence à s'intéresser au monde extérieur, en particulier aux adultes

2. H. Piéron. *Vocabulaire de psychologie*. Paris : PUF, 2003.

3. S. Freud. *Essais de psychanalyse : au-delà du principe du plaisir - psychologie collective et analyse du moi - le moi et le soi - considérations actuelles sur la guerre et sur la mort*. Paris : Payot, 1963.

pourvoyeurs qu'il investit de sentiments positifs et, parfois, de frustrations. L'enfant acquiert un sentiment de sécurité quand il prend conscience de l'existence des adultes et qu'il s'aperçoit que ceux-ci satisfont ses besoins.

Néanmoins, en cherchant à satisfaire ses besoins primaires, le bébé affronte régulièrement deux obstacles : les conflits et les frustrations. Le jeune enfant vit un conflit quand la recherche de satisfaction d'un besoin nuit à la satisfaction d'un autre besoin. Par exemple, le bébé pleure parce qu'il est affamé, mais il a en même temps besoin qu'on change sa couche. Quel que soit le premier besoin auquel répond l'adulte, le bébé continue de pleurer jusqu'à ce qu'il soit pleinement satisfait. Dans l'attente entre le besoin et sa satisfaction, le jeune enfant prend conscience des réalités sociales et physiques qui l'entourent.

Les frustrations sont inévitables en éducation et dans les soins qu'on prodigue à l'enfant. Par exemple, le bébé pleure et le téléphone sonne en même temps. L'enfant doit attendre avant que l'on comble son besoin et cela est source de frustration. Cependant, quand ce dernier constate régulièrement qu'il obtient satisfaction après avoir attendu, il comprend que l'adulte est fiable et digne de confiance. Il est donc important de doser l'attente. Quand celle-ci est trop longue, la frustration qui en résulte peut amener l'enfant à renoncer à la satisfaction en démissionnant. Par contre, si l'attente est trop brève, dans le cas où l'adulte se précipite à la moindre petite plainte du bébé et qu'il satisfait immédiatement son besoin, l'enfant n'apprend ni à attendre ni à espérer. Il n'y a pas de critère objectif quant au dosage de l'attente. C'est un savoir intuitif qui émerge d'une sensibilité au bébé, de l'empathie, d'une compréhension de ses besoins et de ses réactions.

Graduellement, le jeune enfant apprend à régler ses conflits et à contrôler les frustrations qu'il ressent auprès des adultes pourvoyeurs. Il commence par se détacher du plaisir immédiat pour tenir compte un peu plus des réalités sociales et physiques qui l'entourent. Ainsi, il fait ses premiers pas vers le principe de réalité. Un dictionnaire de psychologie[4] affirme que « selon ce principe, la conduite, au cours de l'expérience individuelle, tend à s'adapter à la réalité ». Cette adaptation au monde social et physique se fait par des régulations continues et réciproques entre l'enfant et les adultes qui comptent pour lui.

En apprenant à régler ses conflits et à calmer ses frustrations, l'enfant adapte de plus en plus sa conduite aux attentes et aux exigences du parent. Ainsi, il se dégage du principe de plaisir immédiat. Il se décentre de son narcissisme primaire pour s'intéresser à la personne qui prend soin de lui. Il recherche son contact et l'investit de sentiments alternativement affectueux et agressifs. Ces régulations réciproques sont soutenues par une relation d'attachement entre le parent et l'enfant.

Rompre graduellement les liens de dépendance entre les adultes et l'enfant aide également à dépasser le principe de plaisir, tout en favorisant la maturité et l'autonomie. L'autonomie de l'enfant se développe par une séquence d'apprentissages qui contribuent à rompre des liens de dépendance envers le monde qui l'entoure. L'enfant surprotégé, qui reste dans un univers de plaisir, est maintenu dans une dépendance confortable, ce qui le prive d'une saine autonomie et l'empêche d'acquérir le sentiment de sa responsabilité personnelle. Il s'avère donc très important que le parent aide son enfant à devenir autonome, ouvert et adapté aux réalités sociales et physiques. Néanmoins, les attentes du parent doivent être réalistes et adaptées aux capacités de l'enfant pour éviter qu'il vive du stress de performance et des échecs.

Entre 9 et 18 mois, le bébé devient de plus en plus conscient des réalités physiques et sociales qui l'entourent. À cet âge, il

4. H. Piéron. *Op. cit.*

développe ses capacités motrices, ce qui lui ouvre de plus grands espaces. Il rampe, il marche à quatre pattes et ensuite debout. Pour les parents, c'est une période à la fois captivante et inquiétante. C'est l'âge des jeux d'exploration qui se continueront plus tard. Durant cette période, l'enfant manifeste un plaisir frénétique à expérimenter. Grâce à ses nouvelles habiletés motrices, il dépend moins des adultes et un monde s'ouvre à lui. Le jeune enfant a besoin de fouiller pour développer sa curiosité. Grâce à ses explorations et à ses expérimentations, il découvre les caractéristiques des objets. Par exemple, il apprend qu'on peut utiliser un chaudron de toutes sortes de façons : en le frappant, en le faisant rouler, en le renversant et en se le mettant sur la tête. Ses gestes lui révèlent la sonorité de l'objet, sa texture, sa profondeur, etc. Il est donc essentiel que le parent permette à son enfant de fouiller et d'explorer pour développer son intelligence.

Par contre, à cet âge, l'enfant est peu conscient des dangers. En explorant, il peut goûter à des produits toxiques ou mettre ses doigts dans une prise électrique. C'est au cours de cette période d'exploration que le petit se fait le plus fréquemment dire « non ». En effet, les parents n'ont souvent pas le choix, puisque l'enfant est téméraire. Il prend conscience des interdits parentaux et du principe de réalité. Il apprend avec frustration à se décentrer de son plaisir immédiat pour s'ajuster aux exigences des adultes. Les interdits se vivent également sur le plan social. Par exemple, quand l'enfant frappe le visage du parent qui le prend dans ses bras, il se fait dire « non » fermement. À la longue, après de multiples interdictions, l'enfant apprend à éviter ces gestes inadéquats et s'adapte au principe de réalité, afin d'être accepté et valorisé. Le jeune enfant accepte les interdits des parents, malgré les frustrations qu'ils génèrent, quand il a tissé avec eux une relation d'amour et d'attachement. Dorénavant, cette relation freinera la propension de l'enfant à ne se fier qu'au principe de plaisir.

Soulignons que ce principe n'est pas néfaste en soi. Il faut du plaisir dans la vie et nous espérons que tous les humains en ressentent au cours de leurs activités, sans cela la vie serait morne. Néanmoins, pour se développer, l'enfant et l'adolescent doivent également apprendre le sens des responsabilités. L'autonomie permet plus de liberté, mais celle-ci implique une responsabilité personnelle envers les autres et soi-même. Ce n'est pas par magie que l'on prend conscience de sa responsabilité dans ses actions et ses paroles. Cela suppose des préalables cognitifs très influencés par les attitudes éducatives.

Les perceptions des relations entre les causes et leurs effets

L'apprentissage du sens des responsabilités ne peut être dissocié du développement de l'intelligence chez l'enfant. En effet, ce dernier doit parvenir à faire des liens logiques et de cause à effet entre ses actions, ses paroles et leurs répercussions sur l'environnement humain et physique. Pour expliquer ce développement, nous nous inspirons largement de la théorie psychogénétique de Jean Piaget[5], notamment quant au développement de la pensée causale. Chez le bébé, le sens de la causalité s'amorce dès les premiers mois. Au départ, le nourrisson ne distingue pas la réalité interne (son corps) de la réalité externe. Le bébé ressent son effort personnel comme étant la cause des phénomènes qui l'entourent. Il ne distingue pas ce qui provient de son corps et ce qui vient du milieu.

Entre 4 et 8 mois, le bébé s'ouvre de plus en plus au monde extérieur. On assiste à une conduite magico-phénoméniste. Par exemple, de façon forfuite, il frappe son matelas et en même temps, par hasard, il entend de la musique. Lorsque celle-ci

5. J. Piaget. *La construction du réel chez l'enfant*. Neuchâtel : Delachaux et Niestlé, 1937.

cesse, il frappe de nouveau son matelas, comme si la musique allait recommencer par magie. L'enfant fait des associations magiques entre les mouvements de son corps et les résultats sur le milieu. Pour retrouver l'effet observé, il reproduit les mouvements qu'il croit efficaces. Par exemple, il agite ses jambes pour faire bouger les mobiles au-dessus de son lit.

Entre 8 et 12 mois, l'enfant commence à établir des relations concrètes entre les causes et leurs effets en coordonnant les moyens et les buts. Par exemple, il prend une cuillère (moyen) pour frapper sur un verre (action) et provoquer un son particulier (but). Ou encore, il pousse sur une tour de blocs pour les faire tomber. Au cours de cette période, le bébé n'a pas d'intention réelle. Il ne fait qu'une association ou un lien pratique entre un moyen et un but. Pour lui, seul le résultat compte et le moyen importe peu.

Entre 12 et 18 mois, pendant cette période d'exploration et d'expérimentations actives, la plupart des bébés ne se font pas encore de réelles représentations mentales. Toutefois, ils se montrent capables de faire des liens entre les actions et leurs effets sur l'entourage. Durant leurs expérimentations, on observe un début d'intentionnalité. Ils cherchent activement à produire plusieurs effets intéressants sur les objets. Ils varient leurs mouvements pour modifier les résultats de leurs gestes. C'est la curiosité en action ! Et les nouveautés les fascinent. Les enfants de cet âge perçoivent plus objectivement la causalité ou les liens entre les causes et leurs effets. Ils se voient dorénavant comme indépendants des objets qui les entourent.

Ce début d'intentionnalité se manifeste notamment quand l'enfant découvre l'outil, cet objet intermédiaire entre la main et l'objet convoité. Par exemple, il désire mettre la main sur un vase qui se trouve au milieu de la table, donc hors de sa portée, mais s'aperçoit en même temps que ce vase est posé sur une nappe. L'enfant tire alors sur la nappe pour approcher le vase et comme il lui arrive souvent de mal contrôler ses gestes, le vase risque fort de se briser sur le plancher. Peut-être sa convoitise se porte-t-elle plutôt sur une lampe aux couleurs invitantes dans le salon ? Une fois encore, l'objet est hors d'atteinte, mais l'enfant voit qu'un fil relie la lampe au mur. C'est souvent une fin de carrière pour la lampe !

Entre 18 et 24 mois, la plupart des enfants commencent à être capables de se représenter mentalement la réalité. Ils prennent conscience de leurs intentions. Ils inventent des moyens d'agir. Ils imaginent des détours et des itinéraires pour atteindre un lieu. Si, en voulant se rendre sur le terrain du voisin, ils se butent à une clôture, ils s'arrêtent quelques instants et découvrent la façon de la contourner. En se représentant mentalement un problème, ils en trouvent la solution. Cette nouvelle capacité constitue un outil fondamental pour apprendre.

À cet âge, les enfants sont capables non seulement d'anticiper des moyens pour parvenir à leurs fins, mais également d'imiter en différé, c'est-à-dire de reproduire après coup les actions d'une autre personne. Après avoir vu un enfant plus âgé mettre du sable dans un seau avec une pelle, ils saisissent leur cuillère pour faire semblant de verser du sable dans leur propre bol... de céréales. Grâce à l'image mentale, ils conservent le souvenir des gestes d'une personne absente. Cette nouvelle habileté s'avère très importante, puisque les enfants commencent alors à conserver le souvenir des interdits, des gestes et des paroles des adultes.

Quand ils peuvent se représenter les objets absents, ils peuvent également reconstituer une cause en présence de ses effets. Par exemple, en voyant une flaque d'eau sur le plancher, ils devinent que quelqu'un a échappé un seau ou un pot, même sans avoir assisté à la scène.

Cette nouvelle capacité de se représenter mentalement la relation entre les causes et leurs effets permet au petit de prendre conscience de la conséquence de ses gestes. Il comprend davantage la réalité et s'y adapte en se décentrant du principe de plaisir. Il est au seuil de la pensée symbolique. En effet, grâce à la représentation mentale, l'enfant commence à utiliser des symboles. Autrement dit, il représente une chose par une autre. Une petite fille prend un mouchoir qu'elle met sur une table. Elle dépose un crayon dessus. Le mouchoir représente un lit et le crayon, une personne couchée. Grâce aux jeux symboliques et aux jeux d'imitation, l'enfant peut transformer la réalité en fonction de ses désirs. Le jeu symbolique permet de s'adapter au milieu physique et social. En jouant à la poupée par exemple, les enfants recréent leur vie tout en y apportant les modifications qu'ils souhaitent. Dans ces jeux symboliques, les petits projettent leurs plaisirs et leurs espoirs et ils peuvent ainsi, dorénavant, résoudre leurs conflits. Il suffit d'observer deux enfants de 3 ou 4 ans qui imitent leurs parents en jouant pour avoir une idée de la façon dont ils les perçoivent et de la relation qu'ils entretiennent avec eux.

Par la représentation mentale et l'imitation différée, le jeune enfant commence à intérioriser les interdits parentaux. Voici une scène que nous avons observée : un enfant de 2 ½ ans est seul dans le salon, tandis que ses parents sont occupés dans la cuisine. L'enfant se dirige vers la chaîne stéréo et le téléviseur, qui ont des boutons très captivants. Il hésite et on le sent en conflit névrotique entre le bon Garfield et le méchant Garfield. Après un moment d'hésitation, il dit « non » et il se tape sur la main. Il se met dès lors à manipuler les boutons avec un air de jouissance frénétique.

Cet exemple montre bien que l'enfant a conservé le souvenir d'un interdit parental. Il est en état de conflit entre le principe de plaisir et le principe de réalité. Par imitation différée, il reproduit l'interdit parental en disant « non » et en se tapant sur la main. Après s'être puni, il se permet d'exprimer sans retenue sa pulsion.

Jusqu'à l'âge de 2 ou 3 ans, l'enfant, dans sa relation avec la réalité, est centré sur le principe « action » et « réaction ». Il comprend que certains de ses gestes sont inadéquats ou interdits à cause des réactions du parent : tonalité de la voix, sourcils froncés, air fâché, etc. Il fait alors une association directe entre son action et la réprobation du parent. Cela se produit également quand le petit fait de bons gestes ou lorsqu'il apprend quelque chose de nouveau. Il constate alors que le parent s'exclame de joie, lui donne de l'affection ou lui sourit.

La pensée magique

Avec l'avènement de la représentation mentale, le jeune enfant est capable de conserver plus longtemps le souvenir des interdits parentaux. D'abord, il intériorise le principe de réalité, de telle sorte que les parents ont un peu moins besoin de répéter incessamment leurs interdits. Toutefois, cette intériorisation est loin d'être terminée, car toute l'éducation est parsemée d'interdits.

Depuis que l'enfant est capable de représentation mentale et jusqu'à l'âge de 7 ou 8 ans, des obstacles freinent chez lui l'acquisition du sens des responsabilités, par exemple le fait qu'il ait une pensée magique et égocentrique, ce qui est tout à fait normal. Autant le bébé, durant ses premiers mois, manifeste un narcissisme primaire, autant cet égocentrisme semble revenir en force vers l'âge de 2 ou 3 ans, mais sur un autre plan, celui de la représentation mentale. L'égocentrisme se caractérise par l'incapacité de se décentrer de ses besoins, de ses désirs ou de ses perceptions immédiates et subjectives. Cela empêche l'enfant de bien percevoir la réalité ou les points de vue des autres. Le fait de se centrer sur lui-même l'empêche aussi de percevoir l'effet qu'il a sur les autres. L'égocentrisme prend plusieurs formes, notamment dans les échanges verbaux qui, entre jeunes enfants, sont souvent des monologues collectifs. En guise d'exemple, voici un extrait de conversation en garderie entre deux enfants âgés de 3 ou 4 ans.

Étienne : « Ma mère m'a acheté un *Spiderman*. »

Justine : « Rosalie m'a tiré les cheveux. »

Étienne : « Mon père a oublié de me donner mes gants. »

Justine : « Anne m'a dessiné un cœur sur la main. »

Étienne : « Mon père met de l'essence super dans son auto. »

Justine : « Geneviève a fait pipi dans ses culottes. »

Voilà un véritable dialogue de sourds. Chacun parle pour soi, tout en étant convaincu que l'autre l'écoute et le comprend. En étant centré sur son point de vue sans considérer l'autre, l'enfant ne peut pas comprendre les répercussions de ses gestes et de ses paroles sur autrui.

La pensée enfantine est caractérisée par l'égocentrisme et la pensée magique, et les petits ont donc tendance à déformer la réalité. Ils ont de la difficulté à saisir les liens entre eux et ce qui les entoure.

L'enfant de cet âge est également convaincu qu'il n'y a pas de hasard dans la nature. Pour lui, il doit exister une raison à tous les phénomènes. C'est la raison pour laquelle il pose tant de questions : « Pourquoi la lune nous suit-elle quand on bouge ? », « Pourquoi l'herbe est-elle verte ? »

L'enfant croit que tout l'univers est réglé de façon mécanique par les humains. Il est convaincu que toutes les choses ont été construites par les adultes. De plus, cette conception magique du monde est centrée sur ses besoins ou sur ses désirs. Il croit, par exemple, que les lacs ont été creusés par des adultes pour qu'il puisse s'y baigner et que quelqu'un a fait le soleil pour le réchauffer. Voici quelques réponses typiques que font des enfants de cet âge :

Q - « D'où vient la pluie ? »

R - « C'est quelqu'un qui vide un arrosoir. »

Q - « Pourquoi le ciel est-il bleu ? »

R - « C'est une gentille madame qui l'a colorié. »

Q - « Qu'est-ce que le vent ? »

R - « C'est un gros monsieur qui souffle. »

Q - « D'où vient le tonnerre ? »

R - « C'est un homme qui fait rouler des roches. »

Durant cette période prélogique, l'enfant confond vie et mouvement. Il est convaincu, par exemple, que les nuages sont vivants parce qu'ils bougent. Il attribue aux objets des sentiments et des intentions ; les étoiles brillent parce qu'elles sont joyeuses, le soleil se déplace dans le ciel pour le suivre et entendre ce qu'il dit.

Le jeune enfant transforme la réalité de façon égocentrique, selon son point de vue et ses perceptions immédiates, d'où la difficulté de le raisonner quand on veut lui faire voir les conséquences de ses gestes. Cet égocentrisme l'empêche souvent de comprendre les consignes et les règles de conduite qui sont en opposition avec ses désirs immédiats. Cela empêche parfois des relations harmonieuses avec son entourage. Ainsi, les jeunes enfants sont de grands tricheurs inconscients durant les jeux de règles. Ils essaient d'imiter les règles des plus grands, mais comme ils sont emportés par leur désir, ils les modifient sans vergogne et souvent de façon fantaisiste. Pour eux, c'est le plaisir qui compte, quitte à se transformer en tricheurs d'occasion. L'enfant de cet âge confond « plaisir » et « victoire », chaque jeune enfant étant convaincu d'avoir gagné s'il a éprouvé du plaisir pendant le jeu.

L'éclatement de l'égocentrisme

L'égocentrisme enfantin se caractérise par le fait que l'enfant est centré sur son propre point de vue, sans considérer d'autres aspects de la réalité ni les points de vue différents du sien. Sur le plan social, il se manifeste par une difficulté à partager et à adapter son langage à un interlocuteur, comme en témoignent les monologues collectifs mentionnés précédemment, ainsi qu'une insensibilité aux sentiments des autres.

Vers l'âge de 2 ou 3 ans, le monde social du jeune enfant s'élargit beaucoup, notamment s'il fréquente une garderie. Il apprend progressivement à jouer avec d'autres enfants, mais plus précisément *en présence* d'autres enfants. Lors d'une activité, les petits de cet âge font surtout des jeux associatifs ou des coopérations, c'est-à-dire des opérations parallèles. À cet âge, l'enfant aime être avec d'autres petits comme lui, même s'il est trop égocentrique pour vraiment jouer *avec* eux. Il aime tout simplement leur présence.

L'enfant est capable de voir les autres comme des semblables parmi lesquels il joue pour apprendre ensuite à s'adapter, à nuancer son point de vue et à faire des compromis, afin d'avoir droit à leur attention et à leur affection.

Il observe et imite alors les autres. À cet âge, il est plutôt solitaire, il explore et joue en présence des autres enfants, apprenant peu à peu à tolérer leur présence. Il s'intéresse particulièrement aux jeux des autres et surtout… à leurs jouets. On observe d'ailleurs de nombreux conflits reliés au partage des jouets. Le langage de l'enfant n'est pas assez développé pour demander à l'autre enfant le jouet qu'il convoite.

Entre 3 et 7 ans, on assiste à un éclatement progressif de l'égocentrisme grâce au soutien de l'adulte. Peu à peu, le jeune enfant apprend à se décentrer de ses besoins immédiats, de ses désirs et de ses perceptions pour s'adapter aux réalités physiques et sociales qui l'entourent. Ainsi, il commence à distinguer son monde subjectif de la réalité objective. Cette évolution est favorisée par le développement de son langage, ainsi que par les influences des adultes et des camarades qui comptent pour lui.

La période où le jeune enfant commence à se décentrer de son Moi pour se mettre plus en contact avec le principe de réalité est une période propice pour l'initier à de petites responsabilités envers lui-même et les autres. Ces responsabilités, lorsqu'elles sont adaptées aux capacités de l'enfant, contribuent à diminuer son égocentrisme en développant sa sensibilité sociale et sa générosité. Le jeune enfant devient fier de sa contribution personnelle. Nous reviendrons, au chapitre six, sur les tâches et responsabilités.

Quand l'enfant atteint environ 2 ½ ans, les adultes commencent à cesser de le considérer comme un bébé. On commence à le voir plutôt comme une petite fille ou un petit garçon. Et les parents se préoccupent plus du développement de son langage. Toutefois, depuis la naissance de l'enfant, les parents ont accompagné leurs soins de paroles : « Maman change ta couche » ou « Papa met ton chandail ». À la longue, l'enfant a intériorisé ces paroles et il les utilise à son tour pour accompagner ses actions. On observe cela, aussi bien pour les comportements acceptés et valorisés que pour les interdits.

Ainsi, le langage soutient les activités. À cet âge, l'enfant est souvent verbomoteur, c'est-à-dire qu'il parle en bougeant et il bouge en parlant. Ses actions sont, la plupart du temps, des reproductions d'interdits ou de consignes à suivre qui ont été exprimés par les adultes : « Viens t'essuyer les mains ! » ou « Viens manger ! » ou « Ne fais pas cela ! »

En maîtrisant peu à peu le langage, l'enfant s'ouvre à un monde de communication. Vers l'âge de 2 ou 3 ans, il connaît suffisamment de mots pour se faire comprendre, mais pas assez pour négocier. Il maîtrise plusieurs règles de syntaxe et son vocabulaire s'élargit. Dans ses relations, il découvre et exploite la communication verbale. Il apprend beaucoup avec les autres, surtout avec les adultes qui sont proches. Le langage l'aide à résoudre des conflits ou des situations difficiles et à mieux intégrer le principe de réalité. Les parents et les adultes de son entourage lui transmettent une part de la réalité physique, sociale, affective et morale dont il devra tenir compte.

Le langage permet à l'enfant de se dégager de l'action immédiate ou du présent pour évoquer le passé et anticiper le futur. Ainsi, grâce à la représentation mentale et au langage, le parent peut aider l'enfant à tirer des leçons de ses expériences. Par exemple, vers l'âge de 3 ou 4 ans, l'adulte peut lui dire : « Si ton ami est tombé, c'est parce que tu as laissé tes jouets par terre. » L'enfant de cet âge est capable d'image mentale reproductrice et de comprendre les propos de l'adulte pour faire un lien entre une cause (objets par terre) et son effet (chute de l'ami). Ou encore : « Si tes vêtements sont mouillés, c'est que tu as joué dans la flaque d'eau. » À cet âge, l'enfant est capable d'anticiper les conséquences de certains de ses gestes, surtout quand un adulte l'avertit : « Si tu lances le bloc de bois que tu tiens dans tes mains, tu risques de frapper quelqu'un et de lui faire mal ! » Il est très important que l'adulte sollicite chez l'enfant sa capacité d'anticipation pour l'aider à freiner son impulsivité.

Grâce au langage, l'enfant arrive à se dégager quelque peu du principe de plaisir et à tenir compte de la réalité objective. Le langage aide l'enfant à remettre à plus tard un désir ou un plaisir immédiat. Par la représentation mentale et par le langage, le jeune enfant évoque mentalement l'objet convoité et exprime verbalement son désir.

Par exemple, il demande de la crème glacée et l'adulte ne satisfait pas immédiatement son désir. Pour supporter la frustration de l'attente imposée, l'enfant voit d'avance dans sa tête l'objet convoité. De telles attentes, bien dosées, stimulent les images mentales tout en permettant à l'enfant de tenir compte de la réalité et de s'y adapter. Ainsi, l'objet du désir est récupéré mentalement, ce qui aide l'enfant à supporter le retard.

Pour l'enfant, le langage devient rapidement une modalité relationnelle valide et fiable. Par la représentation mentale et le langage, le jeune enfant intériorise les interdits et les façons d'agir de son milieu. Plus tard, il développera une conscience morale qui se développera de plus en plus, jusqu'à l'adolescence.

De 4 à 5 ans, l'enfant s'assouplit sur le plan intellectuel, car il commence à se dégager partiellement de son plaisir immédiat pour considérer les besoins ou les idées des autres. Il est capable d'osciller entre ses désirs et ceux des autres, mais il n'est pas encore capable de les considérer simultanément. Cette étape de réduction partielle de l'égocentrisme qui fait place à une plus grande ouverture aux autres constitue une période propice pour lui faire intégrer des habiletés prosociales.

Compte tenu du fait qu'il se décentre un peu de sa personne et que sa pensée est plus flexible, l'enfant arrive à se représenter mentalement les relations entre les causes et leurs effets. Ainsi, les parents et les adultes qui l'entourent doivent l'encourager à se centrer davantage sur les autres. Par exemple, s'il blesse un ami en le poussant, il est souhaitable que l'adulte l'aide à prendre conscience de l'impact de son geste sur son compagnon : « Regarde, en le poussant, ton ami est tombé sur le gravier et sa main saigne, comme la tienne quand tu es tombé du tricycle. Ça lui fait mal. »

Durant cette période, il est également important que l'adulte fasse comprendre à l'enfant que ses gestes et ses paroles touchent les autres : « Tu as traité Justine de "gros bébé" et regarde les larmes qui coulent sur son visage. Elle est triste. » Dans une autre situation: «Tu as enlevé le jouet à ta sœur, regarde, ses sourcils sont froncés, son visage est dur. Elle est fâchée.»

Il est également opportun que les parents aident l'enfant à décoder les sentiments des autres dans l'expression du visage et de l'attitude corporelle, et cela dans diverses situations. Par exemple, en regardant un film avec l'enfant, le parent lui demande: «Pourquoi le garçon pleure-t-il?» Si l'enfant ne sait pas quoi répondre, le parent peut lui dire: «Il pleure parce qu'il ne voit plus ses parents, il est égaré dans le magasin, il a peur.» Comme autre exemple: «Pourquoi la petite fille est-elle contente?» Le parent lui dira alors que la fillette est contente parce qu'elle vient de recevoir un cadeau pour son anniversaire. L'adulte peut aussi aider l'enfant à comprendre les relations entre les causes et leurs effets en lui lisant une histoire: «Pourquoi les trois petits cochons ont-ils peur?» L'enfant fera le lien entre les mauvaises intentions du loup (cause) et la peur des victimes (effet).

On doit également aider l'enfant à percevoir les relations entre les causes et leurs effets quand l'enfant fait des gestes positifs: «Tu as prêté ton jouet à ton ami et regarde son sourire. Il est content.» Les enfants d'âge préscolaire posent souvent des gestes de générosité spontanée. Quand un enfant pleure, il n'est pas rare de voir un ou plusieurs enfants se précipiter pour le consoler. L'adulte doit profiter d'une telle situation pour valoriser le geste positif en soulignant la relation de cause à effet: «Tu as fait un câlin à ton amie qui pleurait, cela l'a consolée et elle n'est plus triste. Je suis fière de toi.»

L'apprentissage des habiletés prosociales peut débuter assez tôt chez certains enfants, entre 2 et 3 ans, selon leur développement intellectuel et leur langage. La parole est un véhicule de la pensée et de la logique, d'où l'importance de stimuler l'enfant sur ce plan. Il est largement reconnu que plus l'adulte explique les relations entre les causes et leurs effets, plus l'enfant devient habile à faire des déductions, à anticiper les conséquences de ses gestes et de ses paroles, et à résoudre des conflits. L'enfant développe davantage d'habiletés prosociales quand il est soutenu par un parent ferme et sécurisant, qui lui parle ouvertement du conflit (cause et effet négatif) en lui suggérant des façons de le résoudre.

En général, le jeune enfant se montre plus autonome en présence d'adultes. Toutefois, il exprime plus facilement ses sentiments, positifs et négatifs, en présence de ses parents que devant un étranger ou même un camarade. Ce phénomène s'explique en bonne partie par la relation d'attachement que l'enfant a tissée avec ses parents. Avec le temps, le jeune enfant acquiert un sentiment de sécurité en s'apercevant que ses parents ne le rejettent pas et que l'attachement est inconditionnel.

Ce sentiment de sécurité n'est pas toujours présent avec un adulte moins proche. Tout enfant veut se faire aimer et c'est la raison pour laquelle il se montre souvent plus autonome et exprime moins ses sentiments avec son éducatrice ou un autre adulte. En effet, il veut être sûr d'être accepté par cet adulte. Le jeune enfant est donc plus confiant et spontané avec ses parents dans l'expression de ses désirs et de ses sentiments. Les parents occupent une position privilégiée pour l'aider à exprimer ses sentiments, verbalement et de façon adaptée. Les parents ont donc intérêt à s'appuyer sur l'expression corporelle de l'enfant en nommant le sentiment: «Tu souris, tu es content», «Ton visage et tes bras sont durs, tu es fâché», «Tu pleures, tu es triste». Compte tenu du fait que l'enfant d'âge préscolaire a une pensée concrète et souvent magique, les parents peuvent utiliser des pictogrammes de visages humains qui illustrent divers sentiments, en les nommant. L'enfant parvient ainsi à faire un lien direct entre un sentiment et son expression, ce qui l'aide à mieux décoder les sentiments des autres.

Vers l'âge de 4 ou 5 ans, selon Erikson[6], l'enfant fait preuve d'initiatives en voulant jouer sérieusement à l'adulte. Cela s'inscrit dans le processus d'identification aux adultes relié à la phase œdipienne. Ce processus existe surtout envers le parent du même sexe. À cet âge, l'enfant veut collaborer, progresser et travailler avec d'autres pour faire quelque chose de concret, en cherchant à copier les adultes. Il est attiré par plusieurs activités et, face à une difficulté, il est capable de demander l'aide de l'adulte. Cependant, au cours des activités et dans ses relations avec ses camarades, il vit inévitablement plusieurs frustrations. Chaque jour, il désire atteindre ou faire quelque chose, et il est obligé d'attendre et d'affronter des interdits. La frustration déclenche souvent l'agressivité. À cet âge, l'enfant n'est pas encore capable de distinguer un comportement accidentel d'un comportement intentionnel. Par exemple, si un camarade court, ne freine pas suffisamment et le fait tomber, il peut interpréter son geste comme une agression gratuite et non pas un accident.

En Occident, on prône le culte de la personnalité et souvent l'affirmation agressive pour répondre à ses besoins et se réaliser. Néanmoins, la liberté de s'affirmer doit s'exercer dans le respect des droits des autres. S'affirmer ne veut pas dire agresser. L'affirmation, qui est une manifestation concrète de l'estime de soi, doit être accompagnée d'une responsabilité face aux autres. La majorité des gestes agressifs se rapportent à l'agressivité instrumentale, c'est-à-dire à des conflits dans le partage des objets. L'agressivité devient de l'hostilité lorsqu'elle vise à éliminer ou à détruire l'autre, ce qui est rare au cours de la petite enfance.

Devant une frustration, l'enfant a le réflexe de faire disparaître la cause. La punition de l'enfant agressif ne règle pas le problème. Elle risque d'être perçue par l'enfant comme une agression sur sa personne. Cela augmente davantage sa frustration et lui sert même de modèle de comportement pour alimenter de nouvelles conduites agressives. Il est beaucoup plus

6. E. H. Erikson. *Op. cit.*

avantageux de lui signifier clairement que c'est son comportement qui est répréhensible, à cause de son effet négatif sur l'autre. Ainsi, pour éviter que l'enfant se sente rejeté, le parent doit dissocier l'acte de la personne.

Ce qui est le plus souhaitable pour apprendre les habiletés sociales, c'est d'inciter l'enfant à résoudre ses conflits en utilisant des stratégies acceptables et respectueuses de l'autre. Ses parents doivent lui enseigner des moyens constructifs pour régler un problème. Par exemple, quand l'enfant veut obtenir un jouet d'un camarade, le parent peut le guider en le questionnant: « Comment penses-tu lui demander son jouet ? » Si l'enfant ne sait quoi répondre, le parent peut lui servir de modèle par cette formulation: « Veux-tu me prêter ton camion ? » et l'encourager à poser cette question à son ami. Pour que l'enfant retienne ce qu'il vient d'apprendre, il doit le répéter dans divers contextes. Le parent doit donc encourager l'enfant à mettre plusieurs fois en pratique ses nouvelles habiletés sociales.

Pour acquérir une compétence sociale, l'enfant doit se rendre compte qu'il a de plus en plus le pouvoir de maîtriser ses gestes et ses paroles. Comme préalable, le parent peut l'inciter, en jouant, à freiner volontairement ses gestes. Par exemple, on lui demande de courir et de freiner ensuite quand il le décide. Le même exercice s'applique en frappant un ballon. Soulignons que plus un enfant sait qu'il peut se maîtriser et plus il se montre capable de réfléchir avant d'agir ou de parler, moins il est porté à être impulsif et agressif. L'apprentissage des habiletés sociales est largement soutenu par le langage, notamment pour résoudre des conflits de façon pacifique.

Vers l'âge de 7 ans, l'égocentrisme diminue beaucoup car la pensée logique émerge. En comprenant la réciprocité, l'enfant se décentre de lui-même et découvre les besoins et les points de vue des autres. Grâce à ce déclin de l'égocentrisme et à une plus grande souplesse de leur pensée, les enfants de 7 à 12 ans coopèrent entre eux quand vient le temps d'accomplir une tâche collective. L'évolution du langage favorise la coopération dans les jeux de règles. Les enfants peuvent échanger pour s'assurer que les règles qu'ils élaborent sont admises et comprises par tous les participants. En discutant, ils déterminent les règles et les rôles, et ils tiennent compte de divers points de vue, dans la perspective d'un objectif commun.

Grâce au déclin de l'égocentrisme, à une plus grande souplesse de la pensée et à une capacité de raisonnement logique, l'enfant d'âge scolaire est capable de comprendre la relativité des rôles selon différents points de vue. Par exemple, il comprend que sa mère peut être simultanément une sœur (point de vue de sa tante), une tante (point de vue de son cousin), une infirmière (point de vue de son travail), etc. L'enfant considère donc les éléments de son environnement (objets et personnes) non plus comme des entités isolées, mais bien comme des éléments en rapport avec d'autres. Il peut ainsi élaborer des réseaux de relations.

L'enfant a dorénavant accès à la réciprocité des points de vue, ce qui est à la base de l'empathie et de la résolution de problèmes sociaux. N'étant plus uniquement centré sur la satisfaction de ses désirs, l'enfant considère les sentiments et les opinions des autres. Dans un groupe, il peut nouer des relations plus stables et électives. Compte tenu de sa capacité de raisonnement logique, les parents et les adultes qui l'entourent l'aident à comprendre qu'il est responsable de l'effet qu'il produit. À cet âge, la représentation de la causalité est objective. Ainsi, il peut saisir les relations logiques et causales entre ses actions et leurs conséquences sur les autres. Il peut ainsi ajuster ou corriger ses actions et ses paroles en fonction des valeurs, des attentes et des opinions des autres. L'enfant d'âge scolaire a suffisamment de maturité affective et intellectuelle pour développer une conscience sociale.

À partir de cet âge, l'enfant comprend les valeurs et la logique qui sous-tendent les règles de conduite. Il développe un sens de la justice et les adultes doivent l'aider à comprendre sa responsabilité en s'appuyant notamment sur sa conscience morale.

La conscience morale

Les expériences vécues par l'enfant influencent sa conscience morale, qui s'éveille et se transforme beaucoup entre la petite enfance et l'âge adulte. Bien sûr, les comportements varient d'une culture à l'autre, mais toutes les sociétés ont leurs valeurs, leurs normes et leurs règles qui permettent de distinguer le bien du mal et qui sont essentielles pour que la société fonctionne.

La conscience morale s'appuie sur des valeurs, qui sont transmises au départ par les parents et les adultes les plus proches de l'enfant. On a défini une valeur[7] comme une « certitude fondamentale, consciente et durable qu'une manière d'être et d'agir, qu'un idéal ou une fin constitue un objet hautement désirable pour la personne ou pour la société. Une valeur est une croyance durable à l'effet qu'un mode de conduite spécifique ou une fin d'existence est personnellement ou socialement préférable à son opposé ou à sa contrepartie. »

Les attitudes et interventions éducatives des parents sont souvent éclairées et guidées par leurs convictions et par les valeurs qu'ils ont intégrées. Ces valeurs, que les adultes traduisent dans leurs attentes et exigences envers l'enfant, influencent beaucoup le mode d'éducation. L'autocontrôle du comportement en fonction des autres est essentiel à la morale sociale et à la vie en société. La conscience morale est l'un des fondements de l'autocontrôle et de la prise de conscience de sa responsabilité.

---

7. R. Legendre. *Dictionnaire actuel de l'éducation*. 2e édition. Montréal : Guérin Éditeur, 1993.

Pour expliquer ainsi le développement de la moralité, nous nous inspirons des travaux de Piaget[8] et surtout de Kohlberg[9]. Il y a une relation directe entre ce que les parents disent et font, et les comportements de l'enfant. Selon ces auteurs, la conscience morale s'établit en intériorisant progressivement les interdits et les normes imposées au départ par les parents. Durant la petite enfance, jusqu'à 8 ou 9 ans, l'enfant agit en fonction des interdits et des demandes des adultes. Son comportement dépend du contrôle extérieur. Le jeune enfant règle sa conduite pour éviter des réprobations ou des châtiments. C'est le conformisme qui soustrait l'enfant aux punitions. À cet âge, le jeune enfant ne comprend pas vraiment le sens ou la valeur qui sous-tend l'interdit. Ainsi, il n'est pas moral ou immoral dans ses actes. Il faut plutôt se demander pourquoi l'enfant pose tel ou tel geste, et dans quel contexte il le fait. Il faut également s'interroger sur le besoin que l'enfant manifeste par son comportement. Il serait illogique de juger le jeune enfant en être moral ou immoral.

Entre 4 et 6 ans, on observe souvent une grande différence entre la *conscience* morale et le *comportement* moral. Par exemple, les enfants qui trichent à un jeu de règles affirment que la tricherie est mauvaise, autant que ceux qui ne trichent pas. On observe aussi chez certains adultes ce manque de cohérence entre la conviction et l'action. En général, durant la petite enfance, les enfants ont tendance à appliquer une moralité de situation, c'est-à-dire qu'ils se comportent de façon différente en fonction des situations.

Selon ce que les adultes lui ont transmis, l'enfant est capable, vers l'âge de 5 ans, de distinguer les actes volontaires des actes

8. J. Piaget. *Le jugement moral chez l'enfant*. Paris : Alcan, 1932.

9. L. Kohlberg. *Moral Stages and Moralization : The Cognitive-Development Approach*. New York : Rinehart and Winston, 1976.

involontaires, et une bonne action d'une mauvaise. Il est également capable de faire des liens de cause à effet entre l'intention liée au geste et les résultats produits par ce geste. Il est capable de distinguer le mal fait à un autre, comme pousser un ami contre un mur, d'une action négative d'une autre nature, comme prendre des bonbons sans permission. Il a tendance à condamner davantage le premier geste.

Jusqu'au moment d'entrer à l'école, l'enfant juge son comportement en fonction des conséquences visibles. Ainsi, il a appris que les actions posées avec une mauvaise intention sont répréhensibles, quelles que soient leurs conséquences, et qu'elles sont punies par les adultes. Néanmoins, entre deux actions, il condamnera plus volontiers celle dont l'intention est bonne, mais qui fait du tort aux autres, que celle dont l'intention est mauvaise, mais qui ne fait de tort à personne. En effet, il accorde plus d'importance aux conséquences de ses actes qu'aux intentions qui y sont liées. Ce jugement de l'enfant est très influencé par les attitudes des adultes qui l'entourent. L'enfant découvre très tôt ce que ses parents et les adultes désapprouvent. Il voit que les adultes répriment les conduites négatives et leurs conséquences. Ce n'est que plus tard qu'il comprend réellement ce que les adultes approuvent.

Peu à peu, l'enfant réussit à maîtriser son comportement en intériorisant les règles et les valeurs qui, au départ, ont été imposées par les adultes. Il prend conscience du fait que certains comportements sont valorisés tandis que d'autres sont réprimandés. Il se comporte en fonction des récompenses et des punitions qui proviennent de l'extérieur, mais avec les années, il en vient à intérioriser les règles de son entourage. Il se montre capable d'agir de façon plus autonome en se maîtrisant sans dépendre d'une récompense extérieure ou de la présence d'une autorité.

Quand il arrive à l'école, l'enfant s'adapte aux règles de conduite pour obtenir des gains. Il s'agit d'un conformisme utilitaire.

En effet, il obéit aux exigences de l'adulte dans l'espoir que ce dernier lui donnera en retour des gratifications : félicitations, récompenses, valorisation. Entre 9 et 12 ans, c'est pour plaire aux autres qu'il adopte une certaine moralité, basée sur une motivation relationnelle. L'enfant obéit aux règles de l'adulte, mais il a déjà commencé à intérioriser les valeurs qui sous-tendent ces règles. Il veut être perçu comme « bon » par les personnes qui l'entourent et qu'il estime. Il accepte le rôle d'autorité, mais il est capable de voir si l'adulte est cohérent ou non avec les valeurs qu'il prône. L'enfant finit par être convaincu qu'il faut maintenir l'autorité pour prévenir le chaos ou pour préserver l'ordre social.

Une fois adolescent, puis adulte, on accède à la vraie moralité (bien que certaines personnes n'y arrivent jamais). La conduite est dictée par des valeurs et des principes choisis librement. On se montre capable de distinguer le bien du mal selon ses propres valeurs. On manifeste de l'autonomie par rapport aux contraintes légales et à l'opinion des autres. On agit selon ses valeurs, personnelles et intériorisées.

CHAPITRE 2

LA RESPONSABILITÉ PARENTALE

▼

La responsabilité parentale consiste à satisfaire les besoins d'un enfant et à lui transmettre des valeurs. Cela se fait d'une part en donnant l'exemple, les parents devenant des modèles auxquels les enfants s'identifient, et d'autre part en appliquant des règles de conduite, grâce à une discipline. Les enfants ont besoin d'encadrement et de limites pour passer du principe de plaisir au principe de réalité et pour développer une conscience morale. L'encadrement crée des routines (repas, lever, coucher, toilette, etc.) et inspire des règles de conduite, qui véhiculent des valeurs et font sentir à l'enfant qu'il est responsable de lui-même et des autres. Dans une famille, il y a un sentiment d'appartenance quand on se donne des règles de conduite et que chaque membre assume des responsabilités. Les enfants ne développent le sentiment de leur responsabilité que s'ils vivent une saine discipline. Grâce à celle-ci, ils découvrent leur rôle par rapport à eux-mêmes et aux autres.

Qu'est-ce que la discipline?

La discipline, selon le dictionnaire, est une « règle de conduite commune aux membres d'un corps, d'une collectivité et destinée à y faire régner le bon ordre ». Ainsi, il existe une discipline dans toute profession dont les membres possèdent un même ensemble de savoirs et sont soumis aux mêmes règles d'éthique et de compétence.

La discipline désigne aussi un domaine de connaissances. On dit par exemple que l'on enseigne une *discipline scientifique*. On dit également qu'une personne *a de la discipline,* quand elle est bien organisée, fiable et responsable dans son travail.

Dans son *Dictionnaire actuel de l'éducation,* Renald Legendre définit ainsi la discipline: « Ensemble de règles de conduite que s'impose un individu conformément à ses valeurs et à ses objectifs de vie[1]. ». Cette définition touche davantage l'éducation, car pour s'imposer des règles de conduite, on doit avoir appris à le faire. Un enfant apprend la discipline en étant guidé, d'abord par ses parents. Pas étonnant que le mot « discipline » vienne du mot latin « discere », qui veut dire « apprendre »...

Dès les premiers mois de sa vie, l'enfant commence à maîtriser son environnement physique et humain au cours de ses explorations. On doit lui éviter les dangers et lui apprendre à connaître les limites de son milieu. Avec le temps, il apprend à distinguer les comportements permis de ceux qui sont interdits. Même si cela lui est pénible, l'enfant apprend aussi à devenir progressivement moins égocentrique et à se priver du plaisir immédiat pour adapter son comportement aux réalités qui l'entourent. Cette autodiscipline s'acquiert sur une longue période de temps, de la petite enfance jusqu'à l'adolescence.

Tout être humain dépasse sa condition animale en se détachant de ses pulsions immédiates pour arriver à se maîtriser. L'enfant ne peut acquérir cette maîtrise si, au préalable, ses parents ne l'ont pas dirigé. L'enfant dirigé se sent en sécurité alors que, sans règles, il devient anxieux et dépense beaucoup d'énergie à s'agiter sur le plan moteur ou à se retrancher derrière des attitudes défensives. En conséquence, il n'utilise pas son

1. R. LEGENDRE. *Dictionnaire actuel de l'éducation,* 2e édition. Montréal: Guérin Éditeur, 1993.

énergie pour apprendre ou pour établir de bonnes relations avec les autres. Il n'apprend pas à être responsable.

Un manque de direction de la part des parents ne peut que nuire au développement d'un enfant. Par exemple, un enfant perturbe son métabolisme en se nourrissant au gré de ses fantaisies parce que personne ne contrôle son alimentation. On nuit à la santé de l'enfant en cédant à ses caprices quand il ne veut pas se coucher ou aller chez le médecin. Un parent qui réduit la discipline au minimum risque d'avoir un enfant agité, irritable, égocentrique et irresponsable. Cet enfant se désorganisera facilement en laissant libre cours à son agressivité, ce qui contaminera ses relations au point de l'isoler socialement.

Aujourd'hui, on voit un grand laxisme en éducation. Beaucoup de parents manquent de fermeté ou ne réprimandent pas les enfants quand ceux-ci, par exemple, piétinent les fleurs du voisin ou frappent délibérément d'autres enfants. Parfois, on ne se résigne à les arrêter que lorsqu'ils indisposent ou dérangent vraiment d'autres personnes, au point où celles-ci demandent aux parents d'intervenir.

Néanmoins, une bonne discipline ne se limite pas à obliger l'enfant à obéir ou à être poli. Il est normal que l'enfant conteste ou transgresse parfois les règles qu'on lui impose. Toutefois, s'il vit avec des parents trop rigides ou, au contraire, trop souples, on risque de voir une escalade de ses comportements inadaptés ce qui, en conséquence, donne un sentiment d'incompétence aux parents. Devant une discipline dominatrice et répressive, certains enfants répriment leurs sentiments et adoptent une attitude de soumission et de conformisme. Cette inhibition peut éclater en révolte durant l'adolescence.

Il est facile de dire à l'enfant « fais ceci » et « ne fais pas cela ». Cependant, le jeune ne comprend pas toujours les raisons qui motivent de telles injonctions. À court terme, cela peut donner de bons résultats, mais un parent responsable doit aussi penser à long terme, et apprendre à l'enfant à se maîtriser. Avec une discipline qui se limite à des interdits, aux exigences du moment, à des punitions et à des récompenses, on a la paix pendant des périodes limitées. Toutefois, cela n'apporte pas l'autodiscipline et ne permet pas d'acquérir le sens des responsabilités personnelles. Pour que l'enfant raisonne et se maîtrise, il doit comprendre le bien-fondé d'une consigne ou d'une règle. Il est à noter que les récompenses ne sont pas à exclure mais elles doivent être utilisées avec modération pour éviter une dépendance de l'enfant à ces gratifications.

Il est difficile d'imposer une saine discipline à un jeune enfant à cause de son manque de maturité et de sa propension à fonctionner selon le principe de plaisir. Le parent doit comprendre et accepter ces réalités normales du monde enfantin qui ralentissent l'acquisition de la discipline et du sens des responsabilités :

- Les enfants fonctionnent selon le principe de plaisir. Par nature, ils sont hédonistes. Ils cherchent avant tout à obtenir des satisfactions immédiates, à s'amuser et à éviter l'effort.
- Il est normal qu'un enfant cherche à tester les limites et à vérifier jusqu'où il peut dominer les adultes et son entourage. Il est moins normal que l'adulte le laisse faire ou se laisse prendre au piège.
- Un enfant a la latitude qu'on lui donne. De nombreux parents se sentent dépassés par les problèmes de comportement de leur enfant. Ils expriment leur impuissance et réclament des recettes miracles. Dans une telle relation parent-enfant, l'un des deux ne joue pas son rôle. Or, l'enfant joue le sien… Il est donc important d'aider les parents à comprendre les besoins réels de leurs enfants pour qu'ils

adoptent d'eux-mêmes les attitudes et les moyens nécessaires pour encadrer leurs petits. En général, l'indiscipline d'un enfant est un problème lié au manque de fermeté de l'adulte. Par contre, certains enfants ont intériorisé un conflit ou souffrent d'une carence relationnelle ou d'une hyperactivité d'origine neurophysiologique. De telles difficultés de comportement ne sont pas liées à une négligence parentale. Dans ces cas-là, l'enfant et les parents ont besoin d'une aide spécialisée ou professionnelle.

- Si un enfant répète souvent le même comportement, c'est que cela lui apporte quelque chose, consciemment ou non. Par exemple, dans un milieu de garde, un petit de 3 ans mordait régulièrement les autres enfants. En observant systématiquement son comportement, on découvrit qu'il s'appropriait ainsi tous les jouets qu'il voulait, car les autres petits le fuyaient. Les parents doivent décoder ce qui encourage un enfant à répéter un comportement. Quand on se rend compte qu'il adopte un comportement inapproprié parce qu'il cherche à attirer l'attention, il est parfois préférable de ne pas souligner ce comportement, mais plutôt d'en valoriser un autre, qui est meilleur. L'enfant est alors surpris de voir le parent indifférent au comportement qui attirait autrefois l'attention. Au début, le comportement répréhensible augmente souvent, puisque l'enfant veut tester son efficacité. Quand le parent continue à y rester indifférent, le comportement cesse peu à peu. Le parent doit faire comprendre à l'enfant qu'il aura son attention lorsque le comportement inapproprié aura disparu. De la même manière, au lieu d'accorder de l'attention à un enfant qui pleurniche en demandant quelque chose, il est préférable de lui faire comprendre qu'on l'écoutera lorsqu'il s'exprimera de façon acceptable. En éducation, on gagne plus — à long terme — en soulignant les comportements positifs des enfants qu'en leur reprochant leurs comportements négatifs, sans toutefois cesser de les encadrer pour les sécuriser et leur transmettre des valeurs.

Ainsi, la discipline ne se limite pas à se faire écouter à tout prix. Elle vise surtout à former l'enfant sur les plans affectif, moral, social, intellectuel et physique. Une saine discipline exige que le parent définisse des règles claires et cohérentes, en accord avec ses valeurs. Toutefois, cela n'est pas suffisant. En effet, l'attachement, la présence du parent, son écoute, sa considération, son empathie et sa franchise comptent tout autant pour que l'enfant apprenne à se maîtriser et à devenir responsable. Ce sont là des préalables à la discipline, car l'enfant a envie de respecter les consignes et les règles quand elles préservent son lien avec ceux qui l'entourent.

Assumer sa responsabilité parentale semble de plus en plus difficile. Pourtant, la plupart des parents possèdent un savoir intuitif et ont les compétences requises pour répondre aux besoins de leurs enfants et pour faire d'eux des êtres autonomes et responsables. En outre, la plupart des parents reconnaissent aujourd'hui la grande influence qu'ils exercent sur le développement de leurs enfants. Ils prennent donc leur rôle au sérieux et demandent souvent de l'aide pour bien assumer cette responsabilité. Cependant, trop d'entre eux ne sont pas conscients de leurs qualités d'éducateurs ou les sous-estiment.

Nous constatons aussi que trop de parents veulent être parfaits dans l'éducation de leurs enfants et cela est irréaliste. Comme l'affirmait Bruno Bettelheim[2], un enfant n'a pas besoin d'un parent parfait, mais d'un parent *acceptable*. L'enfant doit s'identifier à une vraie personne, qui a des qualités et des défauts, des forces et des lacunes, et qui fait parfois des erreurs.

2. B. Bettelheim. *Pour être des parents acceptables*. Paris : Robert Laffont, 1988.

Les parents doivent acquérir le sentiment qu'ils sont compétents en tant que parents, de façon innée, et avoir assez confiance en eux pour ne pas se sentir obligés de suivre à la lettre des manuels pour éduquer leurs enfants. D'ailleurs, le docteur Benjamin Spock[3], célèbre pédiatre et psychanalyste, commençait ainsi son tout premier livre, qui a connu un immense succès à sa sortie, en 1946 : « Vous en connaissez plus que vous ne le croyez. » Malgré cette affirmation sincère de la part de ce spécialiste, beaucoup de parents ont appliqué aveuglément les moyens qu'il suggérait, souvent hors contexte, comme des recettes, sans se fier à leur intuition. Cette attitude a rendu bien des enfants indisciplinés.

Ainsi, les parents doivent se fier à leur intuition et développer une pensée critique afin d'évaluer les opinions des experts et de n'adopter que ce qui leur paraît profitable, pour eux et leurs enfants. Et qu'ils ignorent le reste ! Une telle intuition du parent prend toujours sa source dans le lien affectif, car un enfant accepte beaucoup plus facilement de suivre une discipline quand elle est imposée par quelqu'un à qui il est attaché. Un tel lien crée le contexte nécessaire pour éduquer et discipliner un enfant. Malgré toutes les habiletés parentales possibles, rien ne suppléera jamais à l'absence d'un lien affectif. L'enfant trouve ses balises et s'adapte au monde en se référant à une figure d'autorité. Il vaut donc mieux que cette référence soit imprégnée de chaleur humaine, et que la relation soit stable et continue. Les parents qui fondent leur responsabilité parentale sur une bonne relation avec leurs enfants les éduquent bien, et de façon intuitive.

Avec les changements qui se sont produits dans la société et dans les familles depuis quelques décennies, beaucoup de parents n'osent plus imposer de discipline à leurs enfants. Ils se sentent démunis, comme s'ils avaient perdu la recette de

3. B. Spock. *Votre enfant de 0 à 15 ans*. Paris : Éditions Didier, 1963.

l'autorité d'autrefois, quand un simple regard du père ou de la mère suffisait à faire obéir les enfants. Pourtant, les parents d'aujourd'hui ne sont pas si différents de ceux d'avant. Ils sont tout aussi dévoués et compétents. Les enfants non plus n'ont pas changé dans leur nature fondamentale. Et les problèmes de discipline ne datent pas d'aujourd'hui. Toutefois, l'intensité, la fréquence et surtout les manifestations de l'indiscipline varient certainement selon les époques, les valeurs et les niveaux de tolérance. Actuellement, ce qui a changé, c'est le contexte éducatif dans lequel les parents élèvent leurs enfants. Aujourd'hui, la société et la culture sont centrées sur la productivité et l'individualisme, et on accorde moins d'importance à la famille, au rôle parental et surtout au lien qui unit l'enfant à ses parents.

Les obstacles sociaux à la discipline

Bien que nos connaissances sur le développement de l'enfant soient plus approfondies que jamais, il semble plus difficile d'éduquer les enfants. Les parents et les enseignants se plaignent du manque de respect des petits. Beaucoup jugent que les enfants sont plus indisciplinés que ceux des générations précédentes. Ils sentent qu'il y a quelque chose qui ne va pas dans l'éducation. Plusieurs parents se reprochent d'échouer dans leur responsabilité parentale et ils ont tendance à reprocher aux enfants d'être difficiles. Toutes ces perceptions nous incitent à croire que les enfants d'aujourd'hui ne sont pas en aussi bonne santé mentale que les enfants d'autrefois. Il est probable que ces perceptions soient teintées de subjectivité puisqu'il n'y a pas d'étude scientifique concluante qui compare les enfants d'autrefois avec ceux d'aujourd'hui. Toutefois, de nombreux professionnels œuvrant en éducation constatent que notre société vit un problème de responsabilité et d'affirmation parentales à cause de divers facteurs sociaux qui influencent les relations parents-enfants.

Pauvreté et isolement social

Tous les parents désirent que leurs enfants soient heureux. Cependant, le climat familial et la responsabilité parentale sont souvent influencés par les difficultés financières. Selon *Statistique Canada*, un enfant canadien sur cinq vit dans la pauvreté. Cela stresse les parents et leur enlève du temps pour imposer une saine discipline, ce qui leur donne l'impression d'être incompétents comme parents. Ils sont occupés à trouver des solutions pour subvenir aux besoins de base de la famille.

Ainsi, un grand nombre de parents vivent dans un contexte de pauvreté. Ils sont marginalisés, ce qui a des effets destructeurs sur leur identité. À leurs yeux, ils ne sont rien, ne valent rien. Quelles sont les conséquences d'une vie de précarité ? Quand les gens finissent par perdre confiance en eux, le découragement s'installe. Même s'ils font tout pour s'en sortir, certains perdent espoir. Plusieurs s'isolent. D'autres réagissent par la bravade et l'agressivité. Dans les deux cas, ce sont des parents blessés dans leur identité, qui ont honte et qui s'inquiètent pour eux et leurs enfants.

Le manque d'argent et l'isolement augmentent la tension intrafamiliale. Dans un tel contexte, les parents ont beaucoup de difficulté à être présents auprès de leurs enfants et à leur imposer une discipline ferme et constante. Il ne faut pas en conclure que la pauvreté entraîne automatiquement la négligence. L'isolement du parent s'avère plus dévastateur que le manque de ressources financières. Les enfants de milieux pauvres qui reçoivent une bonne éducation évoluent aussi bien et même mieux que les enfants de classes moyennes ou riches dont les parents sont peu présents et responsables.

Imaginons ce que vivent des parents immigrants, nouvellement arrivés dans une société différente de celle de leur pays d'origine, notamment en ce qui concerne l'accueil et l'entraide. La concurrence pour les emplois est féroce ; les nouveaux arrivants doivent souvent se résigner à vivre avec des salaires précaires et avec le minimum vital. Ils sont parfois contraints à se recycler sur le plan professionnel, même si certains occupaient des postes d'importance dans leur pays d'origine. L'adaptation est d'autant plus difficile qu'ils connaissent mal les ressources. Ils se sentent isolés et doivent affronter des réalités jusque-là inconnues : l'obligation de parler une autre langue et le froid intense de l'hiver, ce qui nécessite l'achat de vêtements adaptés, donc des dépenses substantielles. Dans ces circonstances, parents et enfants éprouvent de grandes difficultés et, parfois, ils en viennent à perdre espoir.

Ce problème de pauvreté qui se généralise est plus fréquent dans les familles monoparentales dont le chef est la plupart du temps une femme. Nous connaissons de nombreuses mères monoparentales contraintes de vivre de l'aide sociale, ce qui les humilie et les rend dépendantes. Elles vivent beaucoup plus de stress que de bonheur.

Prenons l'exemple de cette jeune mère, assistée sociale, qui a deux jeunes enfants à charge, le père ayant quitté le foyer sans l'informer de sa nouvelle adresse, privant ainsi les enfants d'une pension alimentaire et de sa présence. Cette jeune femme ressent dans toutes ses fibres le poids de ses responsabilités. Elle ne peut se permettre d'être épuisée ou malade, ni même de s'absenter pendant une journée. Qui s'occuperait de ses enfants ? Elle est toujours sur la ligne de feu, à la disposition des petits. Sa vie sociale est réduite, elle n'a pas d'argent pour faire des sorties et pour se payer une gardienne. Parfois, elle fait une brève escapade chez une voisine, le temps d'un café. Comme d'autres femmes, elle aimerait vivre une saine relation amoureuse, mais ses sorties sont limitées et elle se demande quel homme voudrait s'attacher à une femme qui a deux jeunes enfants.

On comprend facilement pourquoi cette jeune mère en désarroi est impatiente et inconstante dans l'encadrement de ses enfants. Des milliers de jeunes mères connaissent un tel sort et cette souffrance aiguë est muette.

La monoparentalité n'est pas en soi un facteur de risque, mais elle peut le devenir si elle s'accompagne de pauvreté et d'isolement social. Le risque est encore plus grand chez le parent adolescent qui n'a souvent pas été préparé à assumer son rôle parental. L'âge du parent n'est pas en soi un facteur de compétence parentale. C'est plutôt la combinaison de l'âge, des conditions de pauvreté et d'une faible scolarité qui menacent la qualité de vie ainsi que la santé du parent et de l'enfant.

Selon les statistiques nord-américaines, les mères adolescentes vivent plus souvent que les autres dans la solitude et sans conjoint. La plupart de ces jeunes mères doivent interrompre leurs études, recourir à l'aide sociale et vivre des périodes de grande pauvreté. Des recherches récentes montrent clairement que, dans un tel contexte, les enfants sont plus souvent prématurés et de petit poids à la naissance, et qu'ils font parfois l'objet d'agressions et de négligence, accusant un retard dans leur développement et présentant des troubles de comportement.

Le soutien de l'entourage contribue à diminuer le désarroi de ces parents. Un nouveau parent a toujours besoin d'être guidé par les membres de son entourage, ce qui contribue à diminuer l'effet des autres stress. L'adulte qui commence à prendre soin d'un enfant peut alors s'informer auprès des siens, demander leur avis et se baser sur leurs opinions pour améliorer sa compétence éducative ou se rassurer en tant que parent.

L'école et la garderie ont une certaine responsabilité envers ces parents. Elles doivent les informer de ce que vit leur enfant, sans toutefois les accuser de quoi que ce soit. Les intervenants scolaires et les éducateurs doivent objectiver leurs observations et proposer des moyens. Ils devraient aussi leur proposer de rencontrer d'autres parents à l'école ou à la garderie ainsi que dans des organismes communautaires. Les parents ont besoin de soutien et d'un lieu où ils peuvent s'exprimer.

Autrefois, les parents se parlaient davantage entre eux et ils apprenaient ainsi à affronter les problèmes de discipline. Ils étaient rassurés par le sens commun, qu'on appelle aussi le *gros bon sens*. Aujourd'hui, tant d'opinions ont cours que les parents sont parfois confus. C'est la raison pour laquelle ils doivent miser sur les contacts avec d'autres parents et briser l'isolement social. Pensons à des soirées où des parents se rencontrent et prennent ainsi conscience qu'ils ne sont pas seuls à vivre des difficultés. La plupart du temps, lorsque les parents se rencontrent souvent, il s'établit entre eux une solidarité, une générosité et de l'entraide, ce qui sert à tous et particulièrement au parent qui vit de la pauvreté et de l'isolement.

Le phénomène de la négligence

Ce sont les enfants qui créent la famille. Toutefois, celle-ci doit les protéger et satisfaire leurs besoins de développement. Ainsi, la famille a la responsabilité des enfants et ceux-ci doivent être leur plus grande priorité. Dans un article sur l'enfance et la société, le docteur Samy[4] parle en ces termes de la responsabilité des parents :

> « La responsabilité première des parents est de créer un environnement qui nourrisse et protège l'enfant, et ce, pendant toute la durée de l'enfance. Sur le plan physique, nous appelons cet environnement un foyer et, sur le plan psychologique, nous l'appelons une famille. Une famille qui n'a pas de foyer est une famille sans abri, mais un foyer qui n'est pas chaleureux est simplement une maison, aussi luxueuse qu'elle puisse être. Parfois ce n'est tout au plus qu'une pension. »

4. M. H. Samy. « Enfance, famille et société : le mythe de la réalisation personnelle ». *Revue Prisme*, 1999, n° 29.

Si des parents, pour toutes sortes de raisons, ne prennent pas leurs responsabilités éducatives à l'égard de leurs enfants, il ne faut pas s'étonner que ces derniers ne voient pas l'importance d'être responsables face aux autres. Par l'exemple des parents, la responsabilité a un caractère contagieux. Plus l'enfant se rend compte que ses parents ont la même attitude responsable devant les exigences de la réalité et devant ses besoins à lui, plus il progresse dans un climat de sécurité et de confiance. Il en vient à être convaincu que son bien-être est une préoccupation majeure de ses parents. Pour résoudre de nombreux problèmes, les parents n'ont pas à recourir à une discipline répressive s'ils sont présents dans une relation d'attachement, s'ils décodent les besoins qui sous-tendent les comportements inadéquats de leurs enfants et s'ils satisfont ces besoins.

Types de négligence

Selon un rapport déposé en 1996 par l'Office des services de garde à l'enfance, il existe quatre différents types de négligence: la négligence physique, qui touche à des points comme l'alimentation, l'hygiène, l'abri, la sécurité et la surveillance; la négligence qui touche au domaine de la santé; la négligence affective (on compte aussi des familles riches dans cette catégorie); la négligence éducative, c'est-à-dire quand l'école est considérée comme superflue et que les devoirs sont peu ou pas faits. Les acquis de base liés à l'éducation sont alors aussi négligés, ainsi que tout ce qui touche de près ou de loin au monde de l'éducation. Il est à noter que les quatre type de négligence peuvent se recouper. Prenons l'exemple d'un enfant qui attend seul dans la cour d'école, très tôt le matin — même lorsqu'il fait très froid — et qui n'a pas fait ses devoirs et leçons parce que ses parents ont négligé de le soutenir dans cette responsabilité.

Chez beaucoup d'enfants, on constate un phénomène de négligence physique et surtout psychologique. On observe également ce phénomène par l'entremise du témoignage de nombreux spécialistes qui œuvrent auprès des enfants. Est-ce que ce problème est plus répandu aujourd'hui qu'autrefois ? Il est difficile de répondre à une telle question, car il n'y a pas d'étude scientifique comparative. Cependant, ce phénomène de la négligence semble tellement répandu aujourd'hui qu'en 1997, un groupe de psychoéducateurs alertait l'opinion publique. Malgré le temps qui a passé, on constate que la majorité des éléments dénoncés sont encore actuels. En voici des extraits :

> « Des milliers d'enfants crient leur détresse et leur mal de vivre parce que leurs besoins élémentaires sont négligés par les adultes. Ces enfants lésés, déjà meurtris dans leur jeune existence, ne sont pas placés sous la protection de la Direction de la protection de la jeunesse, car ils ne portent pas de marques d'agression. Leurs besoins physiques et psychologiques sont tout simplement négligés ; ils sont affamés, de nourriture, de soins et d'affection ; il leur manque la stabilité et un sentiment de sécurité.
>
> « Plusieurs de ces enfants privés de soins se tiennent en retrait des activités qu'on leur propose et deviennent apathiques, tandis que nombre d'entre eux manifestent leur détresse par de l'instabilité motrice et des troubles de comportement.
>
> « Ces enfants ont des besoins pour survivre (être nourris, logés et habillés convenablement) et pour être en sécurité, tant sur le plan physique que psychologique. De plus, ils sont plusieurs à n'avoir aucun lien continu avec des adultes, que ce soit dans leur famille ou à l'école. Dans ces conditions, comment ces enfants peuvent-ils prendre conscience de leur valeur personnelle[5] ? »

Les manifestations de la négligence corporelle

La négligence est un mal permanent, une souffrance silencieuse qui se manifeste de multiples façons, dans le corps et dans

5. B. Deschamps., G. Duclos, J. Hénault, A. Roy, M. Théoret. « Les enfants négligés, un cri d'alarme ». *Magazine Enfants-Québec*. Février-mars 1997.

le comportement. Ce qui frappe en premier lieu, ce sont les manifestations physiques : mauvaise hygiène, malpropreté, vêtements sales, troués ou trop petits. Beaucoup d'enfants sont mal vêtus : ils n'ont qu'un ou deux pantalons, deux ou trois chandails, et c'est tout. Nombreux sont ceux qui ne sont pas habillés convenablement l'hiver : ni bottes, ni tuques, ni gants. Souvent, ils s'alimentent de façon insuffisante ou inadéquate ; ils arrivent le matin le ventre vide et demandent souvent à leurs amis de les inviter à dîner. De plus, beaucoup d'enfants ont un rythme de vie instable : ils prennent leurs repas de façon irrégulière et manquent de sommeil parce qu'ils se couchent tard. Certains n'ont pas de lit pour dormir, pas de chambre à eux ni d'espace personnel. D'autres vivent dans des logements insalubres et mal chauffés.

Le manque de soins élémentaires se manifeste également dans les relations sociales : insuffisance de contacts intimes avec les adultes et les camarades, isolement, attitude de révolte, comportements hostiles et destructeurs envers l'entourage, faible tolérance à la frustration, etc. Les enfants négligés éprouvent souvent de la difficulté à respecter les règlements et les valeurs de base, comme le respect de soi, des autres et de l'environnement. À cause de leur manque d'habiletés sociales, ces enfants sont souvent rejetés par leurs camarades et par les adultes. Parfois, leur carence affective se manifeste par des tentatives maladroites pour attirer l'attention.

Les conséquences de la négligence chez l'enfant

Tout comme la négligence s'exprime de différentes façons, ses conséquences sont très diverses, car chaque enfant répond à sa manière aux stimuli de son milieu (familial, social, scolaire, etc.). Toutefois, on retrouve constamment ces trois éléments : une faible estime de soi, des difficultés relationnelles et un manque d'intérêt pour apprendre.

Lorsque l'enfant n'est pas valorisé, il n'est pas porté à prendre soin de lui, c'est-à-dire à répondre à ses besoins primaires et secondaires, à soigner son apparence, à avoir une bonne alimentation et de saines habitudes de vie, autant de comportements qui favorisent l'épanouissement personnel. Ainsi, l'enfant n'apprend pas à être responsable et acquiert une image négative de sa personne. Il a tendance à sous-estimer ses capacités et à se voir comme quelqu'un sans importance et sans valeur. Comme il a peu confiance en lui, il hésite à entreprendre des choses, de crainte de ne pas être à la hauteur. Par ailleurs, un tel enfant nourrit peu de rêves et d'espoir pour l'avenir. En effet, le regard de l'autre donne vie, confirme à la personne qu'elle est quelqu'un et qu'elle existe. Les enfants ont besoin de ce regard pour donner à leur vie son sens et son importance.

La deuxième conséquence de la négligence, c'est la difficulté d'établir des relations intimes et satisfaisantes. L'enfant négligé doute que l'adulte puisse lui apporter quelque chose de bon. Ayant souffert de l'absence de regard, de présence et d'intérêt, il se méfie de l'attention et de l'intérêt qu'on lui porte. Il a besoin de vérifier si les intentions des adultes sont bonnes. On observe également que l'enfant délaissé dans son milieu familial l'est aussi avec ses compagnons. Il est souvent isolé et plus ou moins accepté, souvent en raison d'une attitude de repli sur soi ou d'agressivité manifeste envers les autres enfants. La souffrance d'un enfant négligé l'empêche de se sentir responsable des autres. Quelquefois, il cherche à attirer l'attention à tout prix.

La troisième conséquence de la négligence concerne le goût et la faculté d'apprendre. Les enfants victimes de négligence manifestent souvent un manque de motivation et de persévérance envers les activités scolaires. Ils n'ont envie ni de connaître ni d'apprendre de nouvelles choses. « Si l'inconnu est un reflet du connu, aussi bien en connaître le moins possible », se disent-ils. Ils n'ont aucune motivation pour apprendre et ils n'y voient aucun avantage personnel. Dans ces conditions, ils ne se sentent pas responsables d'apprendre des choses qui leur permettraient d'anticiper leurs rôles futurs dans la société. Comme ils ont peu confiance en eux, ils s'attendent à connaître des difficultés et des échecs.

Un enfant a grand besoin que ses parents assument leurs responsabilités. Si on ne comble pas ses besoins de développement, si l'enfant vit dans un vide affectif avec ses parents, ces derniers auront peu d'autorité et d'influence sur lui. L'autorité ne vient pas de la coercition, mais plutôt d'une relation saine et engagée des parents envers l'enfant. C'est cette perte dans leur influence qui incite souvent les parents à utiliser la force ou les châtiments corporels. Cependant, un tel contexte familial n'aide pas à donner à l'enfant des valeurs et le sens des responsabilités.

Le manque de temps

Aujourd'hui, dans la majorité des familles, les deux parents travaillent à temps plein et à l'extérieur du milieu familial. Ce phénomène est lié à l'augmentation des obligations financières des parents. Selon des statistiques récentes, la famille canadienne moyenne a besoin de 77 heures de travail rémunéré par semaine pour équilibrer son budget; ce nombre passe à 84 heures pour les bas salariés. On comprend alors que si les deux parents occupent un emploi, c'est souvent par obligation plutôt que par choix. Ces parents sont bousculés par le temps qu'ils doivent consacrer à leurs nombreuses responsabilités professionnelles, éducatives et ménagères. Des chercheurs s'appuyant sur des statistiques relatives à une étude américaine affirment que jamais encore les parents et les enfants n'avaient profité d'aussi peu de temps ensemble.

La société d'aujourd'hui est axée sur la réussite et la concurrence. Les parents doivent constamment s'adapter à de nouvelles exigences sociales. À cause de leurs horaires souvent surchargés, de l'intensité du stress et du rythme effréné de leur vie, ils manquent de temps, que ce soit pour combler les besoins affectifs de leurs enfants, pour être présents à leur retour de l'école, pour jouer avec eux une partie de baseball, pour les aider à faire leurs devoirs ou pour faire la connaissance de leurs amis. Beaucoup de parents n'ont d'autre choix que de glisser une clé au cou de leurs enfants, en leur recommandant de faire attention. S'occuper des enfants demande de l'encadrement, de l'énergie et du temps. Or, beaucoup de parents en manquent. Alors, sans qu'ils le veuillent, la négligence affective s'installe.

Cette négligence n'est donc pas seulement le fait de milieux défavorisés. Malheureusement, il y a beaucoup d'enfants de milieux favorisés qui passent parfois dix heures par jour en garderie et vont d'une gardienne à l'autre les fins de semaine, ou encore des enfants qu'on emmène dans les centres commerciaux pour leur acheter tout ce qu'ils désirent, mais qui peuvent compter sur les doigts d'une main les heures d'échanges réels avec leurs parents. Ce n'est pas en collectionnant les jouets qu'un enfant apprend à jouer de façon responsable et à respecter les règles. Parmi les conséquences malheureuses du manque de disponibilité des parents, il y a le fait qu'on cherche à remplacer les relations par des biens matériels. L'enfant continue donc à avoir un besoin fondamental d'attachement.

Souvent, les enfants regardent la télévision ou jouent dans leur coin parce que leurs parents sont trop occupés ou fatigués après une longue journée de travail. Les jeux étaient autrefois de belles occasions de tisser des liens, particulièrement entre les parents et les enfants. Aujourd'hui, ils sont électroniques et se jouent en solitaire, chacun devant son ordinateur. Dans ce contexte, l'enfant est son seul maître, le décideur soumis aux seules règles du jeu auxquelles il peut se soustraire à volonté.

En janvier 1998, le sud du Québec a été affecté par une grosse tempête de verglas qui a touché particulièrement la Montérégie. La population de certains secteurs de cette région a été privée d'électricité durant quatre semaines. Les enfants n'ont pas fréquenté l'école durant cette longue période. Dès leur rentrée scolaire, au début de février, on les a questionnés. Ils étaient ravis de revoir leurs amis, ils avaient beaucoup de choses à raconter, et la majorité d'entre eux étaient très heureux. En effet, puisque leurs parents étaient contraints de demeurer à la maison à cause de la panne d'électricité, ils étaient très présents auprès de leurs enfants. En famille, les parents et les enfants s'étaient distribué des tâches pour rentrer du bois, aller chercher de l'eau, afin de s'assurer un minimum de confort. Personne ne pouvait profiter de la télévision ni s'occuper à des jeux électroniques. Pour passer le temps, les gens s'étaient amusés entre eux avec des jeux de société et en échangeant beaucoup. Fréquemment, ils avaient la visite de la parenté ou d'amis. Ils se rassuraient entre eux. Cinq ans plus tard, on a questionné à nouveau plusieurs de ces enfants sur cet épisode et tous en avaient conservé de beaux souvenirs. À la suite de cette tempête de verglas, bien des parents ont expliqué qu'ils avaient vécu moins de problèmes de discipline avec leurs enfants au cours de cette période, malgré l'insécurité.

Cet exemple illustre l'importance de tisser des liens chaleureux et continus entre les parents et l'enfant. Ceci suppose la présence des parents, afin que l'enfant obtienne sa ration affective. C'est à cette condition qu'il devient réceptif aux règles de conduite imposées par ses parents et qu'il apprend à assumer ses responsabilités.

Aujourd'hui, beaucoup d'enfants voient rarement leurs parents jouer avec eux ou prendre le temps de s'asseoir, de s'intéresser à leur vie, à ce qu'ils font, à ce qu'ils aiment. Ces enfants se sentent parfois moins importants que les choses matérielles et la carrière de papa ou de maman. Un enfant en manque de présence peut se dire: « Je n'ai pas assez d'importance pour que mes parents me consacrent du temps. » Un tel jugement de la part de l'enfant affecte profondément l'estime qu'il a de lui-même. En plus, le manque de contacts avec les membres de la famille élargie contribue aussi au vide d'attachement chez l'enfant.

Le manque de temps et d'énergie consacrés aux enfants constitue un problème sérieux qui empêche beaucoup de parents de bien assumer leur responsabilité parentale, notamment en regard de la discipline. La plupart sont conscients qu'ils ne passent pas assez de temps avec leurs enfants. Certains se sentent coupables et cherchent à éliminer leur sentiment de culpabilité en gavant leurs enfants de biens matériels, tandis que d'autres provoquent une autonomie trop précoce chez leurs enfants. Nous avons aussi constaté que certains parents sont ambivalents quant à la discipline, à cause de leur manque de présence. Par exemple, un parent a avoué: « J'hésite à imposer des limites ou à frustrer mon enfant parce que je le vois à peine une heure par soir. J'aime mieux que ce moment soit agréable. » C'est souvent le cas des pères séparés ou divorcés qui ont la garde de leurs enfants un week-end sur deux. Ils ont tendance à être permissifs par crainte de brouiller leur relation avec leurs enfants. Ils ne sont pas conscients qu'ils ne les aident pas à devenir responsables.

Nous considérons que la plus grande richesse de la société, ce sont nos enfants. Si la société souhaite qu'ils se développent bien et qu'ils deviennent des adultes autonomes et responsables, elle doit prioriser les conditions nécessaires afin que parents, éducateurs et enseignants puissent assumer leurs responsabilités éducatives. Malheureusement, la société n'offre pas assez de ressources pour soutenir les parents, les éducateurs et les enseignants dans leurs tâches. Il manque par exemple des garderies à horaire variable, dans lesquelles les enfants se sentiraient aimés, en sécurité et pourraient être eux-mêmes, sans entrer en concurrence avec les autres. De plus, les parents devraient avoir un horaire de travail souple pour être présents auprès de leurs enfants. Nombre d'entre eux ont besoin d'un soutien concret de la société, d'une aide financière pour répondre aux besoins de leurs enfants.

Malheureusement, nous vivons dans une époque où priment le matérialisme, la consommation, la réussite professionnelle et les droits individuels au détriment de la *responsabilité* individuelle. Quelle place faisons-nous à nos enfants qui ont besoin de notre présence et de nos expériences pour se construire et devenir des êtres de bonheur, de lumière, qui pourront se réaliser à leur tour ? Le don de soi, la prise en charge, l'engagement et la transmission des valeurs sont essentiels pour former des hommes et des femmes autonomes, confiants en leur devenir et porteurs de valeurs, de rêves et de projets de société, bref, des êtres responsables.

De nos jours, l'économie, la rentabilité, la réussite et l'accumulation de richesses occupent la première place. De plus en plus, le fait d'avoir un travail est considéré comme une chance, un privilège. Pour conserver ce privilège, les parents doivent travailler fort, donner le maximum. Ils ne comptent plus leurs heures, car ils doivent donner des résultats. D'autre part, c'est dans le travail que certains parents se réalisent, qu'ils arrivent à se reconnaître et à être reconnus : « Je ne suis rien si je ne suis pas le meilleur, si je ne suis pas ultra performant. L'estime de moi-même dépend de mes réalisations, de ce que je donne à mon travail et des résultats que j'obtiens. », pensent nombre d'entre eux. Ces parents ont d'autant plus de mal à reconnaître leurs enfants.

Si les parents ne comptent plus leurs heures de travail, en revanche ils ont tendance à calculer davantage avec leurs enfants.

L'équation est simple : le temps investi dans le travail, la carrière ou l'entreprise représente autant de moments en moins pour les enfants. Parfois, le manque de disponibilité s'explique par divers facteurs : stress intense, manque d'énergie, désespérances face à la vie, isolement, difficultés personnelles, conflits de couples, etc.

Il faut être conscient que lorsque des enfants sont négligés, c'est souvent parce que les parents se négligent eux-mêmes, manquent d'intérêt pour leurs propres besoins, leur bien-être, leur réalisation et, sur un plan plus spirituel, de communion avec leur entourage et leur environnement. Ils négligent ce qu'ils ont de plus précieux et de plus vrai. Ce que l'on ne peut pas se donner, on ne peut le donner à l'autre. Négliger, c'est ne plus donner — c'est aussi s'éloigner, être seul et donner naissance à une nouvelle solitude.

L'influence des amis

Par nature, l'humain est social et grégaire. Il a besoin d'appartenir à un groupe, de se relier à autrui, de sentir qu'il est lié à un réseau relationnel. L'enfant ne fait pas exception et son besoin de faire partie d'un groupe augmente au fur et à mesure qu'il grandit. Ainsi, le concept du *Moi* se développe parallèlement au concept de *l'autre*.

En général, quand les petits sont d'âge préscolaire, les parents ont plus d'influence que les amis. Plus tard, quand les enfants ont entre 6 et 12 ans, les parents présents et responsables ont autant d'influence que les amis, puis, durant l'adolescence, elle perd de l'importance, ce qui est normal. En somme, à mesure que les enfants se socialisent, l'influence qu'ont leurs parents sur eux régresse. Toutefois, si ces derniers ont été présents dans leurs responsabilités éducatives, leur héritage parental restera toujours vivant.

Nous avons tous besoin d'être reconnus par les autres pour exister comme personne. L'enfant a besoin du regard de ses parents, l'enseignant existe grâce à ses élèves, les amis se comparent ; ils cherchent à être perçus comme semblables ou différents, ce sont les autres qui confirment notre existence.

Pour bien vivre avec les autres, l'enfant doit se conformer à certaines normes et règles imposées par les adultes et ses camarades. Au préalable, il doit s'être dégagé de son égocentrisme et du principe de plaisir pour développer une conscience sociale. L'enfant vit ce paradoxe dans ses relations avec les autres : il a besoin d'être confirmé dans son identité, par le fait qu'il est unique, tout en ressentant le besoin de se conformer aux attentes de ses camarades pour être apprécié et accepté. En général, l'enfant d'âge scolaire a une peur bleue d'être différent des autres, car il veut éviter d'être isolé ou rejeté, mais, en même temps, il ressent le besoin d'avoir sa propre identité.

Tout être humain a un besoin inné d'être aimé. Il est tout à fait naturel que le besoin d'attachement de l'enfant se satisfasse avec les personnes qui lui procurent des soins, en l'occurrence ses parents. Les enfants qui sont bien attachés à leurs parents cherchent à s'identifier à eux et ils se sentent valorisés lorsqu'on remarque des ressemblances et des points communs avec eux. Toutefois, quand, pour toutes sortes de raisons (dont la négligence), l'enfant n'a pas été investi par ses parents comme il en avait besoin, il se tourne vers d'autres adultes ou des amis pour combler son vide affectif. Les parents se retrouvent alors contraints à ne satisfaire que ses besoins corporels et matériels. L'enfant a tendance à nier ses ressemblances avec ses parents et il cherche activement à être différent d'eux.

Même si l'enfant est lié à ses parents, dans le développement de la socialisation, son champ relationnel s'élargit en prenant de la distance avec eux. Son désir d'être aimé, estimé et accepté se manifeste également avec ses camarades :

- la tendance à imiter les autres, surtout ceux que l'enfant admire et valorise;
- le désir d'être semblable à ceux qu'il aime et respecte;
- le désir d'éviter à tout prix d'être rejeté.

Il est normal que l'enfant éprouve le désir d'appartenir à un groupe d'amis. Sa dépendance affective à l'égard de l'adulte diminue au profit de la dépendance sociale à l'égard de ses amis. Par le biais de ses relations avec eux, l'enfant sent qu'il a une valeur aux yeux des autres. C'est ce qui constitue l'estime de soi sociale. Pour l'enfant, être aimé par les camarades qu'il estime a plus d'influence sur l'estime qu'il a de lui-même que de bien réussir à l'école ou dans les sports.

Les interactions avec les autres enfants sont nécessaires pour que l'enfant s'évalue bien dans un groupe. Ses camarades lui servent à la fois de miroirs et de modèles. Il acquiert plusieurs comportements grâce à l'observation et à l'imitation des autres. Les modèles qui l'influencent le plus sont les camarades que l'enfant perçoit comme semblables à lui et qu'il estime. Lorsqu'il cherche l'attention d'une personne qui compte, il se sent malheureux si cette dernière lui manifeste le moindre signe de réprobation, que ce soit un parent ou un camarade. Quand, dans un climat d'estime réciproque, un enfant encourage un autre enfant, ce dernier a tendance à répéter son comportement pour être apprécié et accepté. Les amis deviennent des objets de constante comparaison entre enfants. L'enfant compare ce qu'il réussit avec ce que les autres réussissent, et il en vient à évaluer ses habiletés, ses forces, ses difficultés et ses limites.

Dans le processus de socialisation, il est normal de voir apparaître peu à peu cette distance de l'enfant à l'égard de ses parents et au profit des amis. Toutefois, dans notre société moderne, on n'encourage pas assez nos enfants à se développer selon leur besoin naturel d'attachement à leurs parents. À cause des contraintes financières et par le fait que les milieux de travail sont peu adaptés aux réalités des familles, les parents sont de plus en plus privés d'une part de leurs responsabilités parentales au profit des groupes ou de milieux extérieurs.

En effet, des milliers d'enfants sont placés très jeunes dans des groupes, peu après leur naissance. Ils vivent la majeure partie de la journée en compagnie d'autres enfants. De ce fait, ils ont plus de contacts entre eux qu'avec les adultes qui leur sont proches. Ainsi, ils passent moins de temps à s'attacher à leurs parents et aux adultes de leur entourage qu'aux enfants avec qui ils interagissent continuellement. À l'école, ils passent presque toutes leurs journées en relation avec leurs compagnons et les adultes ont de moins en moins d'autorité sur eux. Par exemple, le matin, ils doivent demeurer en dehors de la classe avant le début des cours et ils sont contraints de demeurer entre eux, sans contacts avec les adultes, ou très peu. Aux récréations, au repas du midi et au service de garde, ils sont obligés d'être ensemble. Les enseignants se limitent souvent aux approches didactiques, ils ressentent une grande pression à cause des programmes à couvrir et ils ne sont pas assez sensibles à l'importance des liens affectifs entre l'adulte et les enfants dans le processus d'apprentissage.

Tout se passe comme si la société, et en particulier les milieux d'éducation, avaient pris en charge une bonne part des responsabilités parentales en négligeant l'importance du lien des enfants avec leurs parents. Dans ce contexte, beaucoup d'enfants puisent leur principale ration affective dans leurs relations avec leurs copains. Conséquemment, ils se distancent de leurs parents.

La vie affective et relationnelle ne tolère pas le manque ou le vide. C'est comme le principe des vases communicants. À cause d'un manque de présence continue et chaleureuse des parents et des adultes de l'entourage, que ce soit pour des raisons financières, d'organisation ou de négligence, les enfants se retrouvent souvent obligés de tisser des liens avec leurs camarades.

L'autorité des parents ne se résume pas à des techniques, elle découle des liens qui les unissent à leurs enfants. Comme le mentionnent Neufeld et Maté, beaucoup de parents déplorent une perte de leur autorité parentale :

> « Les parents se plaignent souvent des comportements oppositionnels et impolis de leurs enfants, mais rares sont ceux qui se rendent compte que leurs enfants ont cessé de chercher auprès d'eux consolation, réconfort et assistance. Ils s'inquiètent de voir leurs enfants refuser de répondre positivement à des demandes raisonnables, mais ils ne semblent pas s'apercevoir que ceux-ci ne recherchent plus leur affection, leur approbation ou leur appréciation. Ils ne remarquent pas que leurs enfants se tournent vers leurs pairs pour trouver soutien, amour, connexion et appartenance[6]. »

Plus un enfant s'attache à ses camarades avec lesquels les parents n'ont aucun lien, plus les influences de ces camarades risquent d'être différentes de celles des parents. L'enfant a tendance à imiter davantage ses amis. Ainsi, beaucoup de parents semblent avoir perdu l'influence nécessaire pour motiver leurs enfants, pour mériter leur respect et faire appel à leur bonne volonté. Sans cette influence, les parents sont tentés de les réprimer ou de les forcer. La coercition peut facilement devenir de l'agression.

Ainsi, beaucoup de jeunes, particulièrement durant l'adolescence, priorisent leurs relations avec leurs amis à cause d'un manque de présence des adultes de l'entourage, d'un fossé qui s'est creusé entre les parents et les enfants. Lorsque ces derniers gardent les secrets de leurs amis, quand ils se défendent entre eux et font ce que leurs camarades disent de faire, les enfants suivent instinctivement leurs désirs naturels de se lier aux autres

6. G. NEUFELD et G. MATÉ. *Retrouver son rôle de parent*. Montréal : Éditions de l'Homme, 2005.

et d'appartenir à un groupe. Dans le développement de la socialisation, les enfants veulent être acceptés et, de ce fait, ils cherchent à être aussi semblables que possible à leurs amis. Ils désirent avoir la même apparence, les mêmes goûts, les mêmes idées et les mêmes valeurs.

Toutefois, un parent responsable doit être vigilant quand il constate que les amis ont de l'influence sur le comportement de son enfant. Il doit lui donner de la liberté… surveillée. Le parent responsable, qui est présent et qui a de l'empathie, doit aussi influencer son enfant sur les valeurs à choisir et les règles à respecter. Il doit être conscient que les relations avec les amis ne sont pas guidées par l'amour inconditionnel et l'acceptation. Contrairement aux parents responsables, les camarades ne sont pas là pour prendre soin de l'autre, se dévouer pour eux et encore moins se sacrifier pour favoriser son développement.

Malheureusement, certains parents manquent de disponibilité ou sont naïfs et font confiance aveuglément aux amis de leur enfant, même s'ils ne les connaissent pas. Ils confient totalement la responsabilité de la surveillance aux enseignants et aux éducateurs. Un parent avouait, candidement : « Quand mon enfant est avec ses amis, je ne m'inquiète pas, il n'a pas besoin de moi, je me sens plus libre. » Un tel parent n'est pas conscient de la menace des influences négatives et de sa perte d'autorité. En effet, comme l'affirment Neufeld et Maté :

> « … toute personne à qui un enfant est attaché peut devenir sa boussole, même si cet attachement est inconstant. La fonction d'orientation, d'une importance cruciale, peut aussi échoir à des personnes inaptes à remplir cette tâche — les compagnons d'un enfant, par exemple. Lorsqu'un enfant devient tellement attaché à ses compagnons qu'il préfère les fréquenter et leur ressembler, ces compagnons, seuls ou en groupe, deviennent sa boussole. Comme il ne s'oriente pas encore lui-même, il cherche auprès de ces derniers

l'intimité dont il a besoin ainsi que les signaux lui indiquant une façon d'agir, de se vêtir, de parler, etc. Ses compagnons deviennent ainsi les arbitres de ce qui est bien, de ce qui est important, de ce qui doit se passer, et même de la manière avec laquelle il se définit[7]. »

C'est là une influence redoutable, parce que les amis des enfants ne sont pas assez mûrs pour que ces derniers en dépendent. Ils ne sont pas assez détachés d'eux-mêmes pour conférer aux enfants un sentiment d'identité, pour les aider à distinguer le bien du mal, à départager l'imaginaire de la réalité et, surtout, pour guider leurs comportements afin qu'ils soient adaptés et responsables.

Plusieurs chercheurs ont établi une relation directe entre l'augmentation des comportements violents chez les jeunes et une diminution de la transmission des valeurs de la part des adultes. Ils constatent que l'écart entre la culture des jeunes et celle des adultes s'accompagne d'une augmentation de la violence et de la délinquance chez les jeunes. Aussi, un nombre incalculable d'enfants et d'adolescents en manque d'attachement avec des adultes prennent des médicaments contre l'anxiété, la dépression et des problèmes psychosomatiques. Ces désordres psychologiques se manifestent notamment par un manque du sens des responsabilités chez les jeunes, par des actes violents et de l'intimidation qui ont pris de l'ampleur dans nos écoles. Un courant d'agressivité semble s'être immiscé dans la culture de plusieurs jeunes. Face à ce phénomène, il n'y a pas que les parents qui vivent du désarroi, mais également tous ceux et celles qui travaillent dans les écoles. Selon une enquête québécoise publiée en 2003 et qui traite de la violence dans les écoles publiques, 5 % des enseignants du secondaire ont été agressés par des

7. G. Neufeld et G. Maté. *Op. cit.*

élèves. Ce qui est inquiétant, c'est que ce pourcentage est le triple chez les enseignants du primaire. Aussi, 40 % des enseignants du secondaire ont subi des injures de la part des élèves. Comme autre signe révélateur d'un malaise profond dans nos écoles, 20 % des jeunes enseignants abandonnent leur profession avant cinq ans de pratique.

On entend souvent dire que les émissions télévisées incitent les jeunes à la violence. Il est vrai que le petit écran est pollué par des émissions qui illustrent la violence sous toutes ses formes. Il nous semble qu'un parent responsable incitera son enfant à choisir des émissions éducatives et culturelles qui donnent priorité à des valeurs humanistes. Toutefois, ce n'est pas tellement le contenu des émissions télévisées qui perturbe un enfant, qui l'incite à commettre des gestes agressifs et qui le rend inadapté, c'est plutôt la négligence parentale, une faible estime de soi et le manque de discipline. C'est la violence dans son environnement qui incite l'enfant à commettre des gestes violents, surtout si les scènes télévisées reproduisent des situations qu'il a vécues dans son milieu. De telles scènes confirment chez l'enfant que les comportements violents sont normaux. Un jeune apprend beaucoup d'un parent responsable, tout comme de celui qui ne l'est pas. Cependant, les effets éducatifs ne sont pas les mêmes...

Heureusement, beaucoup de parents assument leurs responsabilités parentales et c'est ce qui donne de l'espoir pour la société de demain. Avec tous les moyens contraceptifs sur le marché, c'est par choix que la majorité des parents mettent au monde un enfant. Toutefois, pour que ce choix soit responsable, il faut en assumer les conséquences, positives et négatives. Beaucoup de parents ont compris cette exigence et donnent la priorité à leur famille. Ils sont conscients que l'enfance est courte et qu'ils doivent léguer à l'enfant le meilleur héritage possible. Pour remplir leurs tâches parentales et être présents pour l'enfant, ils priorisent des valeurs et font des choix. En effet, il n'est pas facile aujourd'hui d'être parent. Il faut surmonter plusieurs obstacles, dont les contraintes financières, acquérir des biens matériels et assouvir les ambitions personnelles. En plus, le parent est fréquemment sollicité pour des activités extérieures à la famille. Le parent responsable et qui a du plaisir à jouer son rôle choisit l'enfant en premier, à cause de son lien et pour que l'enfant devienne autonome et responsable. La discipline devient alors une responsabilité parentale pour aider l'enfant à acquérir une conscience morale et à intégrer lui aussi le sens des responsabilités, face à soi-même et aux autres. Toutefois, certains parents sont mal à l'aise ou ambivalents devant cette nécessité.

Les résistances des parents face à la discipline

La majorité des adultes qui ont le sentiment d'avoir eu de bons parents éduquent leurs enfants comme ils ont eux-mêmes été éduqués. La parentalité s'inscrit dans un continuum. Chaque parent a ses propres parents et sa propre histoire. Il est inutile d'essayer d'éliminer notre passé, il est présent en nous et il influence notre comportement, consciemment ou non. Le parent est porteur des souvenirs de son enfance; certains sont agréables, d'autres moins et plusieurs sont refoulés dans l'inconscient. Ainsi, les expériences passées influencent les attitudes du parent envers ses enfants. Comme le mentionne le docteur Michel Lemay:

> « Nous mettons sur nos enfants les "fantômes de notre passé", et il n'y a rien d'effrayant à cela puisque le dynamisme parental prend sa source dans ce qui est présentement, dans ce qui a été par le passé et dans ce qu'évoque l'avenir[8]. »

8. M. Lemay. *Famille, qu'apportes-tu à l'enfant ?* Montréal: Éditions de l'Hôpital Sainte-Justine, 2001.

Il est souhaitable que le parent soit le plus conscient possible du contenu et des caractéristiques de sa propre éducation afin de faire un choix libre dans la façon d'éduquer ses enfants. Il est opportun que le parent fasse un bilan de son enfance et de sa jeunesse pour évaluer sa responsabilité parentale. Le docteur Lemay poursuit :

> « Il est donc souhaitable de porter un regard lucide sur sa propre aventure d'enfant, d'adolescent et de jeune adulte, afin de mieux comprendre le poids de cette aventure dans la démarche parentale[9]. »

En faisant le point de la sorte, le parent peut se dire : « J'ai de bons souvenirs de mon enfance qui sont encore vivaces, des souvenirs d'amour et de plaisir ; j'avais de l'importance aux yeux de mes parents, et ils ont parfois fait des erreurs qui m'ont fait ressentir de l'injustice et de la peine, mais je comprends pourquoi ils ont agi de la sorte compte tenu de leurs personnalités et de l'époque dans laquelle ils vivaient. Malgré cela, je garde quelque chose de bon de mon enfance. » À la suite d'une telle démarche d'analyse de son passé, le parent peut jeter un regard lucide sur son rôle. Il est alors libre de faire des choix personnels : « Compte tenu de mes valeurs et des principes de vie que je retiens de mon passé, quel sera mon style et sur quelles valeurs vais-je me fonder pour éduquer mon enfant ? »

Le parent doit comprendre et pardonner les erreurs du passé afin d'éviter de répéter les attitudes qu'il a réprouvées chez ses propres parents. En effet, certains adultes, croyant s'être affranchis des conflits qui les ont marqués avec leurs parents, tentent par réaction d'éduquer leurs enfants autrement, comme ils auraient voulu l'être, ou en adoptant des attitudes éducatives

9. M. Lemay, *Op. cit.*

complètement contraires, plutôt qu'en s'inspirant de l'éducation qu'ils se rappellent avoir reçue. Une telle attitude réactionnelle est souvent vouée à l'échec, surtout dans des états de tension. Il est fréquent que des parents, après s'être juré de ne pas reproduire ce qu'ils avaient subi durant leur enfance, répètent les attitudes de leurs propres parents quand ils sont dans le feu de l'action, en état de stress. Dans ces circonstances, le parent peut se mettre en colère ou se sentir coupable. Ce phénomène de répétition compulsive d'une génération à l'autre est lié à des conflits non résolus. L'identification au parent est présente, souvent pour le meilleur, mais parfois pour le pire. Ainsi, il est reconnu que la majorité des parents qui disent des mots blessants à leurs enfants ont eux-mêmes subi de la violence verbale durant leur enfance. Or, ils étaient bien déterminés à ne pas redire ces paroles à leurs propres enfants.

Nous avons constaté que des parents résistent à imposer des limites aux enfants par peur de perdre leur amour. En général, c'est le cas du parent qui a souffert de négligence ou de carences durant son enfance. Lorsqu'un parent a vécu un certain vide affectif durant sa propre enfance, la venue de son enfant est souvent vue comme une occasion de vivre une relation privilégiée et exclusive qui comblera l'amour dont il a été privé. Plus l'enfant grandit, plus le parent se voit dans l'obligation de le faire attendre, de le frustrer, d'exiger et d'interdire. Le parent craint alors que l'enfant le prive de cette affection dont il a tant besoin. Imposer son autorité devient une situation déchirante, parce que le parent est en conflit entre son devoir d'imposer des limites et la peur de se mettre à dos son enfant. Nous observons également ce phénomène chez des parents qui ont la garde de leurs enfants une fin de semaine sur deux.

Malheureusement, il y a trop peu de parents conscients qu'une bonne façon de montrer aux enfants qu'on les aime, c'est de leur imposer des limites. Il est plus difficile d'encadrer et d'exiger que de faire l'autruche. Toutefois, quand les parents achètent temporairement la paix en baissant les bras, les enfants se sentent ignorés.

Bien sûr, devant une interdiction, les enfants protestent souvent : « Tu ne m'aimes pas ! » ou « Tu aimes mieux mon frère ! » En général, les enfants qui expriment le plus leur détresse ne sont pas ceux qui la vivent le plus. Ces enfants sont plus sensibles à ce que leur parent ressent qu'à ce qu'il fait. Il y a une grande différence entre réprimander un enfant et lui faire sentir qu'on le déteste. Comme le mentionne Dumesnil :

> « … il y a une différence entre trouver une situation malheureuse et être malheureux dans une situation. Dans le premier cas, la personne est sensible à la souffrance vécue sans en faire elle-même l'expérience, alors que dans le second, elle est elle-même souffrante. Plus un parent dispose d'une bonne estime de lui-même, plus il aura tendance à vivre la première expérience (être sensible à la souffrance sans la vivre) ; à l'inverse, plus son estime de lui-même est défaillante, plus il sera conduit à vivre la seconde (être lui-même souffrant)[10]. »

Ainsi, quand un parent a une bonne assurance et ne se sent pas envahi, il est plus disposé à faire à son enfant toutes les remontrances qu'il juge nécessaires. Néanmoins, il n'est pas facile de discipliner son enfant. Il est normal qu'un parent ressente parfois un malaise ou du remords lorsqu'il est contraint à réprimander son enfant. Aussi méritée que soit la réprimande, il est possible que l'enfant soit malheureux temporairement et que le parent le soit également. La discipline est rarement accompagnée de plaisir. En général, le parent ressent de la tristesse au fond de lui-même à priver son enfant de ce qu'il veut. La discipline n'est pas synonyme d'oppression.

10. F. Dumesnil. *Parent responsable, enfant équilibré.* Montréal : Éditions de l'Homme, 1998.

Nous avons observé que des parents qui ont été l'objet de violences verbales et physiques durant leur enfance ont tendance à fonctionner avec leurs enfants en réaction à leurs propres souvenirs. Dans la vie quotidienne, ils adoptent une attitude laxiste ou de laisser-aller par peur d'opprimer les enfants. Toutefois, dans des situations de tension, il n'est pas rare qu'ils adoptent une attitude aussi rigide et excessive que celle dont ils ont été victimes. Les sentiments qu'ils ont vécus durant leur enfance remontent à la surface. Ils se sentent coupables d'adopter ces mêmes attitudes qui les ont fait souffrir. C'est un phénomène de répétition compulsive d'une génération à l'autre. Nous avons constaté que ce sont les gens ayant vécu leur enfance avec des parents autoritaires et répressifs qui deviennent souvent les plus permissifs avec leurs enfants. En voici un exemple : Étienne, 10 ans, se rebiffe souvent devant les devoirs et les leçons que son enseignante lui impose. Son père a tendance à rejeter la faute sur l'enseignante, jugeant les devoirs trop longs et inutiles. Lui-même conserve de son enfance des ressentiments face à l'autorité et à l'école. Toutefois, il est contraint d'admettre qu'il a perdu toute autorité sur son fils. Il se dit incapable de faire preuve d'une saine fermeté pour lui imposer des limites. Il ne se sent pas à l'aise pour jouer ce rôle d'autorité qu'il conteste. Avec de l'aide, il accepte finalement d'affirmer son autorité pour le mieux-être de son fils. Il parvient à collaborer avec l'enseignante et Étienne reprend peu à peu sa place d'enfant.

Certains parents ressentent tant d'insécurité qu'ils ont peur que leurs enfants réagissent à la violence par la violence. Ils perçoivent la discipline comme un acte agressant. Ils confondent violence et fermeté. Ces parents craignent leurs enfants et leur donnent beaucoup de latitude. Malheureusement, ils oublient que les enfants ne sont pas brimés quand ils sont encadrés de façon ferme et constante. Au contraire, les apprentissages favorisés par un tel encadrement les aident à mieux tolérer les inévitables frustrations de la vie, sans vivre de désarroi ou de détresse. Il est largement prouvé qu'un enfant est plus enclin à réagir violemment s'il a baigné dans un climat de violence. Si l'enfant cherche fréquemment à régler un conflit ou à obtenir satisfaction par des coups, il est probable qu'il vit dans un environnement familial qui privilégie les solutions agressives et expéditives pour régler un problème ou pour sanctionner un comportement indésirable.

Nous avons rencontré des parents qui ont avoué avoir peur de leur propre violence dans l'application de la discipline. Ces parents se sentent impulsifs et craignent de perdre la maîtrise d'eux-mêmes. Dans des situations de tension, ils se sentent envahis par une forte agressivité qu'ils craignent de ne pouvoir maîtriser et qui risque de les rendre violents avec leurs enfants. Pour éviter les agressions, ils répriment leurs pulsions en se réfugiant derrière une grande tolérance. L'enfant perçoit pourtant ce potentiel de violence et il teste le danger par des comportements inopportuns qui exaspèrent le parent. À bout de patience, le parent laisse libre cours à son exaspération par des gestes violents. Il se sent alors coupable et cherche à réparer son manque de maîtrise par une attitude encore plus permissive et tolérante. C'est un cercle vicieux, dans lequel le parent est piégé. Il est important qu'il prenne conscience des causes de son agressivité pour mieux l'affronter en faisant appel à des techniques de maîtrise de soi et de gestion du stress. En effet, un enfant doit être en présence d'un adulte capable de contenir la poussée de ses impulsions. En plus de procurer à l'enfant un sentiment de sécurité, ce parent devient un modèle.

Certains parents ont peur de menacer l'équilibre psychologique de leurs enfants par une discipline. Nous avons constaté que la plupart de ces parents ont eu des parents impulsifs et immatures qui fonctionnaient selon leurs pulsions et humeurs du moment. Ils étaient inconstants dans des situations semblables, se montrant parfois affectueux et permissifs, tantôt intolérants et excessifs. Ainsi, ils pouvaient avoir des réactions tout à fait opposées d'une journée à l'autre pour le même comportement. Cette inconstance faisant vivre aux enfants un état continu d'incertitude et d'insécurité, ils retiennent de leur enfance qu'ils ont été maltraités et traumatisés, et ils veulent à tout prix éviter de faire vivre cela à leurs enfants. Ces parents ont tout avantage à faire le bilan de leur passé pour choisir librement les valeurs qu'ils considèrent comme importantes pour leurs enfants. Ils doivent comprendre qu'une saine discipline est loin d'être répressive, mais qu'elle est plutôt un moyen privilégié de transmettre des valeurs. Enfin, ils doivent saisir que la clef de la réussite est la constance et la fermeté dans l'application des règles. La fermeté est une attitude d'amour, elle s'oppose à la fermeture et à la coercition.

Quelques parents hésitent à réprimander leurs enfants par peur du jugement de l'entourage. On observe cette attitude surtout chez des parents ambivalents ou peu confiants en eux. Ils n'ont pas assez d'estime d'eux-mêmes et ne sont pas assez convaincus du bien-fondé de leurs interventions pour se concentrer sur les besoins de leurs enfants et faire fi du regard et des commentaires des autres.

Au cours des échanges avec les parents, la discipline revient souvent comme sujet de préoccupation. Un enfant a certainement besoin de limites dans son développement. Ces limites sont essentielles, d'abord pour le protéger et ensuite pour lui faire intégrer des valeurs, des habiletés sociales et le sens des responsabilités, envers lui-même et les autres. Grâce à des limites imposées de l'extérieur, l'enfant parvient graduellement à s'imposer lui-même des limites, c'est-à-dire à se maîtriser. C'est à cette seule condition qu'il peut devenir responsable.

Chapitre 3

L'autorité parentale

▼

En Occident, l'autorité est moins valorisée qu'auparavant. Depuis quelques décennies, on a vu les enfants adopter des comportements d'irrespect et de violence qui consternent les adultes. Pour réagir à ce désarroi qui se manifeste notamment chez les intervenants scolaires, plusieurs écoles se livrent à des expériences de répression. Par exemple, on engage des agents de sécurité pour monter la garde, on se munit de détecteurs de métaux, quelques écoles ont même invité l'armée pour promouvoir la discipline auprès des jeunes. De plus en plus, nous rencontrons des parents qui se sentent dépassés, impuissants et démunis devant le comportement de leurs enfants, comme s'ils étaient les victimes de leur progéniture.

On traite régulièrement de ce phénomène dans les médias, souvent à la suite d'actes violents perpétrés par des jeunes. On en parle durant quelques jours, puis on passe à d'autres événements de l'actualité. On constate que ce phénomène provoque rarement une réflexion profonde et continue de la part des parents, des intervenants scolaires et des instances gouvernementales afin de trouver les causes de ces problèmes de comportement et de mettre de l'avant des solutions concrètes pour prévenir ces problèmes ou y remédier.

Cela inquiète les chercheurs et les spécialistes en éducation. Par exemple, à la suite de recherches longitudinales, on mentionnait que « les enfants qui continuent à mordre, à pousser ou à frapper leur mère, leur père ou d'autres enfants après l'âge de

3 ans risquent davantage de devenir des "agresseurs chroniques" et de développer des comportements violents à l'adolescence[1]. » Comment expliquer que de jeunes enfants continuent d'agresser leurs parents ou leurs camarades après l'âge de 3 ans ? Est-ce que les enfants d'aujourd'hui sont génétiquement plus violents que ceux d'autrefois ?

Nous sommes convaincus que ces manifestations d'agressivité chez les enfants constituent un problème social et le reflet d'une carence d'autorité chez les adultes. Nous avons constaté que beaucoup de parents ont une perception magique et idéaliste de leur rôle, du fait qu'ils sont convaincus que leurs enfants s'éduqueront seuls et qu'ils comprendront eux-mêmes ce qui est bien pour eux. Ils comptent sur la maturation normale, sans être vraiment conscients de l'importance de leur rôle. Beaucoup de jeunes enseignants font preuve d'une attitude naïve en cherchant surtout à se faire aimer par les jeunes au lieu de se faire respecter dans leur rôle d'autorité. Il est reconnu que l'une des causes de la violence est engendrée — et souvent nourrie — par des parents trop mous et allergiques à toute forme d'autorité. Les tenants du « vivre et laisser vivre » favorisent souvent, sans en être conscients, des problèmes de discipline.

Assumer son rôle d'autorité parentale

La grande majorité des parents aiment leurs enfants et souhaitent sincèrement qu'ils adhèrent à leurs valeurs durant leur développement, comme un héritage à leur léguer. Toutefois, cette transmission de valeurs ne se fait pas par magie. Elle nécessite de la part des parents de la présence physique et psychologique, de l'empathie et de l'engagement pour les besoins des enfants, ainsi que de la fermeté dans l'affirmation de leurs

1. Propos tirés d'une entrevue réalisée par la revue *Châtelaine* en décembre 1998 avec R.E. Tremblay.

valeurs. En somme, ils doivent assumer leur responsabilité parentale. Heureusement, la plupart des enfants adhèrent aux valeurs transmises par leurs parents. Cette adhésion se fait surtout en observant et en imitant. C'est ainsi que les enfants apprennent, depuis la façon de tenir une fourchette jusqu'aux croyances et aux opinions sur la vie.

Dans notre société, il n'est pas facile pour les parents de jouer leur rôle puisqu'il y a une tendance sociale de plus en plus forte à déléguer les responsabilités. En effet, les adultes d'aujourd'hui, soit par manque de temps, soit grâce à leurs moyens financiers, se départissent de diverses tâches qu'autrefois les personnes exécutaient elles-mêmes. Beaucoup d'adultes n'hésitent pas à payer pour faire tondre le gazon, pelleter la neige, faire peindre la maison, etc. On commence à voir cette tendance en éducation. On loue les services d'une personne pour faire faire les devoirs et les leçons à son enfant. Certains parents ont même proposé à des éducatrices d'entraîner leurs enfants à la propreté, en échange de rémunération.

Récemment, nous avons assisté à l'ouverture de la Grande Bibliothèque du Québec. Lors d'une visite, nous avons feuilleté une brochure expliquant les services offerts aux jeunes. Soulignons que cette bibliothèque s'est dotée de services très intéressants et pertinents. Cependant, malgré la bonne volonté de l'établissement, un des services offerts nous a préoccupés. Il s'agit d'histoires qui sont racontées au téléphone, à n'importe quelle heure du jour. L'idée est des plus louable ; cependant, où est la responsabilité parentale dans cela ? Le temps que le parent prend pour lire une histoire à son enfant devrait être un moment privilégié pour le parent et son enfant, et non une corvée. Malheureusement, il y a des enfants qui ne se font jamais lire d'histoires. Est-ce que la lecture au téléphone comblera cette lacune ? Cela ressemble à une autre sphère d'activité où les parents délèguent leurs responsabilités à autrui.

La responsabilité parentale est très influencée par les changements que la famille a subis depuis quelques décennies. Voici ce que mentionne, dans son livre, Marie-Claude Béliveau :

> « Depuis une trentaine d'années, la famille a connu de grandes transformations qui ont un effet certain sur le développement psychologique de l'enfant. La situation de la famille est devenue plus précaire, les valeurs et les préoccupations individuelles occupent la première place dans de nombreux foyers. Ont été mises de côté, dans bien des cas, les valeurs familiales traditionnelles, autrefois institutionnalisées. Tous ces changements ont entraîné de nouvelles dynamiques familiales qui influencent le comportement des enfants[2]. »

Ainsi, la famille a beaucoup changé, non seulement en ce qui concerne le nombre de personnes qui la composent, mais aussi en ce qui a trait à sa stabilité, à sa structure et à son fonctionnement. Aujourd'hui, près d'une famille sur deux éclate et on assiste à la formation de nouveaux types de familles, monoparentales ou recomposées. À la suite de ruptures conjugales, certains parents, surtout les mères monoparentales, assument une plus grande responsabilité parentale, tandis que des pères abdiquent leurs responsabilités.

Plusieurs de ces ruptures se soldent par une garde partagée ou une garde toutes les deux fins de semaine, ce qui est souvent en défaveur du père. Ce sujet est très actuel. Cependant, ce ne sont pas les enfants qui font les lois. L'intervention auprès des pères est bien en vogue depuis quelques années. Nous y croyons. À notre avis, ce serait une hérésie d'avancer le contraire. Cependant, il faut que cette intervention soit davantage qu'une mode et que les pères soient appelés à faire partie de la solution plutôt que du problème.

---

2. M.-C. Béliveau. *J'ai mal à l'école. Troubles affectifs et difficultés scolaires.* Montréal : Éditions de l'Hôpital Sainte-Justine, 2002.

Il arrive trop souvent que des parents prennent leurs enfants en otage. Nous utilisons le mot « otage » au sens symbolique, pour signifier que le vécu de ces enfants est dramatique. Prenons l'exemple de parents dont la relation va mal depuis des années et où la conjointe prend la décision de rompre l'union. Le père peut se sentir floué, considérant que cela est injustifié. Il doit alors se résigner à avoir ses enfants une fin de semaine sur deux. Dans de telles circonstances, nous avons observé le stratagème de plusieurs pères qui refusent de prendre leurs enfants, leur faisant de fausses promesses, manquant de fiabilité, etc. Pourquoi un tel revirement de la part de pères qui jouaient bien leur rôle paternel jusqu'au jour de la rupture ? Ils ont une emprise sur leurs anciennes conjointes et jouent cette carte au maximum. Combien de pères refusent de payer une pension alimentaire pour leurs enfants, croyant provoquer leurs anciennes conjointes et les faire craquer ? Et dans tout cela, le gouvernement fait de timides représailles auprès des parents qui paient mal. Les premiers à souffrir de cela sont les enfants. La responsabilité parentale va au-delà des ruptures et des nouvelles unions, un père et une mère le sont pour la vie.

Les parents d'aujourd'hui subissent de nombreuses pressions générées par les médias et les modes qui influencent leurs idées sur leurs responsabilités parentales. Dans notre société de consommation et d'individualisme, certains parents sont confus, ne savent pas quoi penser des nombreuses sollicitations de consommation. Ils se comportent comme s'ils n'avaient pas de repères, comme s'ils avaient perdu contact avec le sens commun et les valeurs traditionnelles. Par exemple, depuis plusieurs années, nous assistons à la prolifération de boutiques de vêtements spécialisés pour les jeunes filles ayant tout au plus 12 ans. Il s'agit d'un phénomène que nous devons scruter un peu plus. Dans ces boutiques, des jeunes filles s'habillent comme des femmes à la recherche de rencontres masculines. Est-ce normal que nous assistions à un tel phénomène au XXIe siècle ? Il nous semble que les petites filles ont le droit de vivre leur enfance sans être précipitées dans l'adolescence, qui arrivera bien assez vite, et même dans le monde des adultes. Pour illustrer le tout, ces boutiques spécialisées offrent à peu près les mêmes vêtements pour les femmes que pour les fillettes : dessous sexy, jupes courtes, robes de soirée, etc. Ceux qui déplorent ce phénomène soulignent que les catalogues annonçant les produits de ces boutiques montrent des petites filles dans des poses très suggestives. Nous traitons ici de problèmes qui touchent les fillettes, et heureusement, les petits garçons ont encore un peu le droit d'être de petits garçons.

À qui la faute ? En premier lieu, si ces boutiques n'existaient pas, nous ne traiterions pas de cela présentement. En second lieu, qui achète ces vêtements ? Ce n'est pas par magie qu'ils aboutissent dans la garde-robe des filles. Les parents doivent exercer un contrôle sur ces produits de consommation. Cependant, la tentation de certains parents est bien forte de céder aux demandes de leurs enfants. En voici un exemple. Récemment, un ami nous appelle, un peu embêté, se questionnant sur une demande de sa fille, qui est en première année… de l'école primaire, fait à souligner. À l'âge de 7 ans, cette enfant se fait rejeter par d'autres fillettes de sa classe qui ne la jugent pas assez sexy. Ainsi, elle demande à ses parents de lui acheter des vêtements plus séduisants afin d'être acceptée par ce groupe de filles. Comment réagir ? Aucun parent ne veut que son enfant ne soit mis à l'écart, cependant les parents sensés n'approuvent pas l'achat de telles tenues. Selon nos recommandations, il n'est pas sage d'acheter ces vêtements. Cependant, que comprend à cela la petite de 7 ans ? Elle se trouve déjà différente des autres et, dans cette histoire, les parents ont le mauvais rôle.

Récemment, un parti politique du Québec a débattu de cette question et il désirait faire interdire les tenues inappropriées dans les écoles, ce qui est une bonne idée. Cependant, les parents se responsabilisent-ils dans tout cela ? L'année dernière, une école de la région de Montréal tentait cette expérience en interdisant toute tenue sexy et tout vêtement à caractère violent. On voulait instaurer le port d'un uniforme. Des parents se sont opposés à ce projet qui, selon eux, brimait la liberté des enfants. Heureusement, plusieurs parents se sont opposés à des vêtements inappropriés, tout en affirmant que l'habillement des enfants relevait de leur responsabilité.

Établir une distance

Pour jouer son rôle de parent, il faut établir une certaine distance avec l'enfant. Celui-ci, au cours de son développement, cherche à s'affirmer en s'éloignant des adultes qui comptent le plus. Cela est normal. Son affirmation par le « non », vers l'âge de 2 ans, illustre bien ce besoin. Cependant, cette distance ne doit pas être vue comme de l'indifférence et de la froideur de la part de l'enfant. Il en est de même dans une relation d'aide où une certaine distance est essentielle pour avoir de l'empathie. Elle permet une plus grande objectivité et une compréhension de l'autre. Ainsi, il est important que les parents et les enfants soient proches affectivement, mais il est tout aussi important qu'ils soient suffisamment distants.

Depuis plusieurs années, nous observons un phénomène de nivellement des générations qui réduit la force de l'autorité parentale. Marie-Claude Béliveau en fait part :

> « Certains parents ont aujourd'hui à niveler leurs rapports avec leurs enfants, et cela est particulièrement manifeste dans les familles où la séparation a entraîné la "quasi-perte" de l'un des deux parents (généralement du père). Dans les foyers où la charge de l'enfant revient en totalité ou presque à l'un des parents, nous observons une tendance à traiter l'enfant d'égal à égal et à chercher à

compenser l'absence de l'autre, en faisant tout pour éviter les conflits. On nie ainsi le rapport d'autorité, qui est pourtant normal, sain et sécurisant pour l'enfant parce qu'il établit clairement les attentes et les limites. Les parents d'aujourd'hui constituent en effet la première génération à subir ces transformations observées dans la famille et qui en vit les conséquences ; d'où vient souvent ce nivellement du rapport parents-enfants. Les enfants ont autant besoin de parents qui assument leur rôle qu'ils ont besoin d'amis et, en ce sens, ils ne retirent aucun profit de la confusion semée par la relation ami-ami qui se dessine parfois dans les rapports parents-enfants[3]. »

Ainsi, trop de parents se comportent avec leurs enfants comme s'il n'y avait pas de différences de génération entre eux. Les valeurs de notre société s'appuient beaucoup sur le principe d'égalité entre les personnes. L'enfant a des droits et doit être respecté. Néanmoins, l'égalité ne doit pas exister dans une famille, car les parents seraient alors privés de toute autorité morale sur leurs enfants. Il ne peut y avoir égalité, parce que les enfants doivent être la priorité de la famille et que les parents en sont responsables.

Pour qu'un parent assume son rôle, il est essentiel qu'il se mette en position d'autorité, ce qui procure un sentiment de sécurité à l'enfant. Malheureusement, trop de parents sont ambivalents et résistent à ce rôle, à cause de leurs conflits personnels ou des réminiscences de leur passé. Nous avons constaté que des parents associent l'autorité à de l'abus de pouvoir. Ils confondent « autorité » et « autoritarisme ». Françoise Dolto faisait une nette distinction entre ces deux attitudes :

« Quand quelqu'un exerce son autorité uniquement pour prouver qu'il a du pouvoir, on appelle ça de l'autoritarisme. Il y a

3. M.-C. BÉLIVEAU. *Op. cit.*, p. 66.

toujours un peu d'impuissance dans l'autoritarisme, alors que l'autorité véritable révèle une vraie puissance[4]. »

Le mot « autorité » vient du mot latin « auctor », qui veut dire « auteur » et « celui qui se porte garant ». Cette définition ne lui donne pas un sens de contrainte, mais plutôt la responsabilité de faire évoluer l'enfant pour qu'il devienne autonome et responsable. Ainsi, il est important que ce terme soit compris dans un sens positif. L'autorité doit inspirer respect et confiance. Par exemple, lorsqu'on affirme que telle personne est une autorité dans son domaine, elle est perçue comme compétente dans sa spécialité. L'enfant qui constate dans le quotidien que ses parents sont fiables, cohérents et constants dans les valeurs qu'ils affirment, en retire du respect pour eux. Les parents deviennent garants du principe de réalité et des valeurs importantes. Ainsi, l'autorité du parent se situe surtout dans ses actes et dans ses convictions. Elle a de l'influence quand l'enfant y perçoit une compétence qu'il estime. Il faut que le parent en fasse la preuve, surtout auprès de l'adolescent qui détecte bien le manque d'authenticité.

Il est difficile aujourd'hui pour le parent de bien assumer ses responsabilités éducatives. La concurrence dans le travail, le manque de temps et l'insuffisance de soutien des ressources extérieures sont quelques-uns des obstacles qu'il affronte. Quand le parent peut combler la plupart de ses besoins et qu'il se réalise dans ses activités conjugales, professionnelles et dans ses relations d'amitié, il est plus volontiers prêt à satisfaire les besoins de son enfant sans se sentir brimé. Il peut alors renoncer temporairement à ses besoins ponctuels pour se centrer sur son enfant. Ainsi, il montre à ce dernier la nécessité de différer parfois la satisfaction de son besoin. Le parent devient alors un modèle de tolérance à la frustration.

4. F. DOLTO. *Les chemins de l'éducation*. Paris : Éditions Gallimard, 1994.

Dans notre pratique, nous avons rencontré des milliers de parents en groupes et en entrevues individuelles. Nous avons constaté à maintes reprises que trop de parents se disent dépassés par l'éducation de leurs enfants, surtout en ce qui concerne les problèmes de discipline. Ces parents ont plusieurs préoccupations relatives à leur travail, à leur vie conjugale et à l'organisation de la vie de famille. Certains sont épuisés et avouent leur impuissance à encadrer leurs enfants. Leurs propos ont une teneur de pessimisme et de fatalisme. Ils ont tendance à être passifs et dépendants de nous, réclamant souvent qu'on leur fournisse des recettes miracles pour éduquer et discipliner leurs enfants. Ces parents se comportent comme s'ils étaient victimes d'obligations et de situations qu'ils subissent, en dehors de leur contrôle. Ainsi, ils ne sont pas prêts à bien assumer leurs responsabilités parentales. Leurs enfants ressentent cette impuissance de leurs parents, ils vivent de l'insécurité, ce qui les amène à être indisciplinés. Cela est inquiétant, car l'incapacité réelle ou imaginaire d'exercer un contrôle personnel sur les événements de sa vie génère du stress et provoque une détresse psychologique qui affecte la santé mentale et physique.

Nous avons de l'empathie pour ces parents, mais il faut éviter d'alimenter leur dépendance si on veut les aider réellement. Ils ont surtout besoin que l'on nourrisse l'espoir en misant sur leurs capacités éducatives et sur la résolution des problèmes éducatifs. Notre première tâche consiste donc à les rendre conscients de leurs forces et de leurs compétences en réactivant le souvenir de leurs succès passés. Rares sont les parents qui ne manifestent pas un minimum de compétence parentale. Plusieurs se sentent peu compétents par le fait qu'ils ne sont pas conscients de leurs capacités. Nous cherchons donc, simplement, à les guider dans l'acquisition de leur sentiment de compétence parentale afin qu'ils s'appuient sur ce sentiment pour se prendre en main.

Le pouvoir d'agir

Ainsi, nous croyons beaucoup à l'« empowerment » pour bien assumer la responsabilité parentale. Le dictionnaire traduit ainsi ce mot anglais : « Avoir pleins pouvoirs pour faire. » Du point de vue sémantique, on utilise en langue française ces formulations synonymes : « appropriation d'un pouvoir personnel », « prise en charge de sa destinée » ou « pouvoir d'agir ». Pour notre part, nous retenons la dernière formulation, car elle contient un message d'affranchissement et de changement. Elle suppose une volonté consciente de changer une situation perçue comme problématique en une autre considérée comme souhaitable. On parle alors de composantes importantes pour le pouvoir d'agir. Cela suppose d'abord que le parent prend conscience du problème, ensuite qu'il définit le changement souhaité, enfin qu'il veut sincèrement prendre en main ses responsabilités et passer à l'action en appliquant des moyens clairement identifiés pour produire le changement. Alors, pouvoir et action sont intimement liés.

Comme préalable fondamental à la prise en charge de ses responsabilités parentales, le parent doit, dans sa vie, mettre l'accent sur l'éducation de ses enfants et désirer sincèrement y donner la priorité et s'y engager. Cela suppose de sa part des choix, par exemple en éliminant le plus possible les obstacles à la vie familiale. De plus, tout parent doit comprendre que son plus grand pouvoir est celui qu'il exerce sur lui-même, quand il maîtrise ses capacités pour se défaire de la passivité en prenant en main ses responsabilités éducatives. Par ailleurs, Rondeau définit bien l'« empowerment » ou le pouvoir d'agir, dans le passage suivant :

> « … un processus permettant le changement d'un état de passivité à un état d'activité ou de contrôle sur sa vie. Cette transition peut se manifester chez une personne par une augmentation de son sens du

contrôle personnel et par les applications qu'elle en fait dans sa vie. En essence, on parle ici d'un processus de changement où la personne quitte la passivité et devient active, c'est-à-dire se mobilise et devient auteur de sa vie. En devenant active, elle cherche à prendre ou à reprendre du contrôle sur elle-même et sur son environnement[5]. »

Le pouvoir d'agir constitue une responsabilité que le parent doit assumer régulièrement s'il souhaite que son enfant l'acquière à son tour. En effet, le pouvoir d'agir doit être interprété comme la capacité de se prendre en charge. Chez le parent, ce pouvoir se manifeste par un contrôle sur ce qui est important pour lui dans l'éducation de son enfant. Le pouvoir d'agir est plus un devoir qu'un pouvoir, puisqu'il implique une prise en charge de soi-même. Le parent qui exerce ce pouvoir d'agir cherche à être l'auteur et l'acteur des situations, plutôt que d'en subir passivement les conséquences. Le parent est la propre source de sa compétence parentale. Au cours de nos interventions, nous misons sur le pouvoir d'agir du parent. Un proverbe chinois traduit bien son importance : « Si tu donnes un poisson à un homme, il se nourrira une fois. Si tu lui apprends à pêcher, il se nourrira toute sa vie. »

Il s'avère important que le parent manifeste son pouvoir d'agir en faisant des gestes qui traduisent cette réalité. Beaucoup de problèmes sont inévitables dans une vie familiale. Ils se produisent particulièrement quand les parents exercent leur autorité parentale dans la discipline. Les problèmes ne sont pas toujours négatifs, mais ils peuvent le devenir et perturber l'harmonie familiale si les parents n'utilisent pas leur pouvoir d'agir en ne prenant pas les moyens de les résoudre. Dans ces situations, les parents se sentent impuissants et pris au piège, ils subissent passivement le stress.

---

5. G. RONDEAU. Texte présenté au colloque « *Travail social et empowerment à l'aube du XXI*e *siècle* », Université du Québec à Hull. Hull, 22 avril 1999.

Voici des suggestions qui favorisent la solution de problèmes pour un parent déterminé à utiliser son pouvoir d'agir :

- Bien identifier le problème, sans le dramatiser ni le minimiser. Il est parfois bon de consulter les personnes autour de soi pour relativiser les choses ou les percevoir de façon réaliste.
- Évoquer le souvenir de problèmes semblables qui ont été résolus dans le passé.
- Prendre note des solutions qui ont été proposées et qui se sont avérées efficaces.
- Faire une liste des succès passés dans la résolution de problèmes.
- Retrouver l'estime de soi en dressant une liste de ses compétences et en les appuyant d'exemples concrets.
- Consulter des amis ou des personnes qu'on juge crédibles pour obtenir des stratégies de solution.
- Faire un « remue-méninges » pour trouver toutes les solutions possibles.
- Évaluer la pertinence de chacune des solutions en tenant compte des expériences passées et en fonction du problème présent.
- Reposer son esprit pendant quelque temps. Sur ce plan, certains parents ont de la difficulté parce qu'ils sont pressés de trouver la bonne solution. Pourtant, la créativité nécessite une période d'incubation qui permet de prendre une certaine distance par rapport au problème, afin d'avoir plus d'objectivité. Il faut se dire que le temps fait son œuvre.
- Définir la solution qu'on évoque le plus souvent.
- Appliquer la solution.
- Évaluer après coup l'efficacité de la solution.

Un parent qui ressent son pouvoir d'agir est optimiste. Il est convaincu de pouvoir résoudre beaucoup de problèmes éducatifs en utilisant ses propres ressources et en demandant de l'aide, au besoin. Il s'aperçoit qu'il a un contrôle personnel dans ses responsabilités parentales et dans son autorité.

Viser un juste équilibre

Éduquer un enfant suppose des régulations réciproques et continues entre l'enfant et le parent. Ce dernier doit ajuster ses attitudes et ses moyens pour s'adapter au tempérament, aux besoins particuliers, aux particularités de son enfant, puisque celui-ci est unique au monde. Réciproquement, l'enfant doit s'adapter aux attentes, aux valeurs et aux règles de conduite imposées par ses parents. Ces régulations réciproques induisent un processus d'équilibre ainsi que de l'harmonie dans leurs rapports. Ce processus est alimenté par la relation entre le parent et l'enfant. Cet équilibre est loin d'être statique, car il oscille au gré des échanges qui se font et des problèmes qui surgissent.

Le véritable attachement entre le parent et l'enfant vise l'équilibre et l'harmonie. Le lien est alors souple et sécurisant. Il n'étouffe pas, il permet à l'enfant de respirer. Il ne retient pas, il permet à l'enfant d'être actif, de s'aventurer dans des espaces extérieurs, en-dehors de la relation avec le parent, mais à l'intérieur de certaines limites. Cet équilibre souple doit également se manifester dans la discipline. En effet, accorder trop de liberté à un enfant le prive de son besoin de limites sécurisantes, tandis que lui imposer trop de limites nuit à son autonomie et à l'affirmation de soi. L'un des buts du parent responsable consiste à maîtriser des situations sans écraser l'enfant, afin de le sécuriser. Tout enfant a besoin de règles de conduite pour s'orienter dans la vie.

Il n'est pas toujours facile de trouver l'équilibre entre le laxisme et la rigidité, car selon les événements, la fatigue et le degré de tolérance, un parent a des variations d'humeur et d'attitudes. Toutefois, il doit viser le plus possible cet équilibre pour prévenir des comportements inadaptés chez son enfant. En grandissant, il est normal que les enfants contestent certaines normes familiales. Toutefois, lorsqu'ils font face à des parents trop souples ou au contraire trop rigides, il y a souvent escalade dans leurs comportements déviants et, conséquemment, une diminution du sentiment de compétence parentale. Le docteur Lamontagne évoque ce phénomène :

> « Certains auteurs ont démontré un lien entre l'application d'une discipline coercitive assortie de punitions physiques de la part des parents et la délinquance chez les adolescents. D'autres auteurs ont produit des résultats tout à fait opposés, en rapportant qu'une permissivité excessive ou une absence de discipline parentale favoriserait la délinquance chez l'adolescent[6]. »

Damon explique ce phénomène en ces termes :

> « ... les éducations permissives ne transmettent pas de règles, et l'autoritarisme applique des règles irrégulières, au bon vouloir des parents (« c'est ainsi, parce que j'ai dit que c'était ainsi ! »). Bien qu'apparemment opposées, ces deux éducations produisent chez les enfants des effets identiques : un manque de maîtrise de soi et une faible responsabilité sociale. Dans les deux cas, les enfants manquent du réalisme et des structures qui leur permettent d'élargir leur vision morale[7]. »

Une saine discipline, s'appuyant sur des valeurs et des règles de conduite claires, favorise chez les enfants la conscience morale et le sens des responsabilités, beaucoup plus qu'une

---

6. Y. Lamontagne. *Être parent dans un monde de fous*. Éditions Guy Saint-Jean. Laval. 1997.

7. W. Damon. « Le développement moral des enfants ». *Pour la science*, n°264, octobre 1999.

éducation permissive ou répressive. En éducation, et particulièrement pour la discipline, il est souhaitable que le parent exerce une autorité démocratique, qui prône des règles de conduite librement consenties de part et d'autre, en fonction de valeurs communes. Cette forme d'autorité est plus exigeante pour le parent que l'autoritarisme ou le laisser-faire, car elle oblige parents et enfants à communiquer et à échanger. On trouvera plus bas un tableau[8] résumant les principaux styles parentaux et leur impact auprès des enfants :

Styles parentaux selon les dimensions « sensibilité » et « contrôle » des parents et leur impact auprès des enfants

Contrôle (– → +)	Parents centrés sur eux-mêmes	Parents sensibles à l'enfant
+	*Style autocratique* • Inhibés • Retirés • Conformistes • Acquis d'autocontrôle plus faible ; moins respectueux des règles	*Style démocratique* • Confiance en soi • Sentiment de pouvoir selon ce qui leur arrive • Recherché des compagnons, compétents socialement • Rendement scolaire supérieur • Persévérance
-	*Style désengagé* • Délinquance anti-sociale à l'adolescence • Inadaptation psycho-sociale	*Style permissif* • Impulsivité • Dépendance • Manque de constance dans la motivation scolaire • Peu soucieux des besoins des autres

\- ———— Sensibilité à l'enfant ————→ +

8. S. Bourcier. Classification élaborée à partir de Maccoby, E.E. et Martin, J.A. (1983). « *Socialization in the context of the family: Parent-child interaction* ». Handbook of Child Psychology, Vol. 4, 2001.

Un parent autocratique est **dominateur** et souvent coercitif. Il cherche à contrôler tous les comportements de l'enfant. Germain Duclos, Danielle Laporte et Jacques Ross ont décrit les principales caractéristiques de ce type de parent. Selon eux, il a tendance :

« • à imposer ses règles et son raisonnement ;
- à être rigide dans sa façon de communiquer ses demandes ;
- à vivre les relations en fonction d'une lutte de pouvoir ;
- à être centré davantage sur les punitions ;
- à donner peu de récompenses et peu de marques d'attention positives ;
- à ne laisser rien passer et à désirer contrôler tous les comportements ;
- à reconnaître rarement les efforts de l'enfant ;
- à être intolérant et très exigeant ;
- à juger, dévaloriser et dénigrer ;
- à mousser la rivalité entre les enfants ;
- à critiquer les autres adultes, y compris l'autre parent ;
- à ne pas reconnaître les sentiments de l'enfant ;
- à ne pas reconnaître chez l'enfant ses capacités de faire des choix et d'agir ;
- à aller jusqu'à frapper ou humilier publiquement l'enfant ;
- à fonctionner selon ses humeurs[9]. »

Ce type de parent autocratique est centré sur lui-même et oblige l'enfant à s'adapter à lui. Le jeune qui vit avec ce genre de parent a de fortes chances de devenir conformiste et inhibé. Il peut manifester de la soumission et de la dépendance envers

9. G. Duclos, D. Laporte, J. Ross. *Les besoins et les défis des enfants de 6 à 12 ans.* Saint-Lambert : Éditions Héritage, 1994.

l'adulte. Au cours de son adolescence, il aura tendance à s'opposer aux règles et à se révolter. En effet, les adolescents (et particulièrement ceux qui sont sous l'effet de la colère) se rebellent contre un parent trop dominateur. Une scène déjà tendue risque de dégénérer en bataille ouverte : le parent impose alors des punitions de plus en plus fortes, tandis que le jeune met toute son imagination à y échapper. Ce rapport domination-soumission rend chacun perdant. L'enfant n'apprend pas à se maîtriser et à devenir responsable en comprenant les valeurs qui sous-tendent les règles.

Le parent qui a un style **désengagé** est également centré sur lui-même et néglige les besoins de l'enfant. Il contrôle peu ce dernier et assume mal ses responsabilités parentales. Le jeune se sent négligé avec un parent indifférent et irresponsable. Le parent qui laisse son enfant tout à fait libre de ses désirs et de ses actions est un parent démissionnaire. L'enfant est laissé à lui-même, sans protection ni organisation. Le jeune a besoin d'être protégé et investi par d'autres adultes, sinon il risque de devenir inadapté sur le plan psychosocial ou délinquant durant son adolescence.

Nous avons rencontré de nombreux parents **permissifs** qui étaient très liés à leurs enfants et sensibles à leurs besoins. Néanmoins, ils résistaient à jouer un rôle d'autorité. Les auteurs mentionnés précédemment ont décrit les principales caractéristiques de ce type de parent. Selon eux, ils ont tendance :

« • à remettre à l'enfant l'ensemble de ses choix ;
- à n'imposer aucune limite ou restriction ;
- à s'attendre à ce que l'enfant développe sa propre sécurité intérieure ;
- à s'attendre à ce que l'enfant se responsabilise ;
- à favoriser l'expression des émotions ;
- à apprécier les initiatives de l'enfant ;

- à utiliser l'enfant comme confident;
- à rechercher des relations « ami-ami » avec l'enfant;
- à demander la permission de l'enfant;
- à trop valoriser l'enfant;
- à surestimer les capacités de raisonner de l'enfant;
- à désirer que l'amour prime sur toute contrainte;
- à être bohème et libre-penseur;
- à être contre toute autorité;
- à être dépendant de son enfant[10]. »

Sans en être conscient, ce type de parent néglige ou abandonne l'enfant en le laissant libre de toutes ses actions. Il croit sincèrement lui faire confiance en favorisant son autonomie. Il donne tout le pouvoir à l'enfant, qui devient facilement un enfant indiscipliné. Le jeune risque de demeurer égocentrique, peu soucieux des besoins des autres. Il n'apprend pas à être responsable de lui-même et des autres. Plus tard, il a tendance à devenir impulsif quand il est frustré. Il est fort possible qu'il fonctionne selon le principe de plaisir, ce qui se manifestera notamment par un manque de constance dans la motivation scolaire.

Le type de parent qui guide efficacement le développement de l'enfant adopte un style **démocratique** dans ses rapports avec l'enfant. Ce parent est sensible aux besoins de son enfant, mais il manifeste également son rôle d'autorité en encadrant l'enfant avec des règles de conduite claires et constantes. Sans tout permettre, il fait confiance à ce dernier, mais il n'hésite pas à intervenir fermement et chaleureusement, sans toutefois le brimer ou le soumettre. Il établit une relation stable et chaleureuse avec son enfant et l'influence dans le quotidien.

10. *Op. cit.* p. 80.

Selon les auteurs cités précédemment, un parent qui est démocratique et qui sert de guide a tendance :

« • à structurer la réalité de l'enfant en tenant compte de ses besoins ;
- à proposer des solutions ;
- à être ouvert à la communication ;
- à être souple dans ses décisions et dans sa façon de les appliquer ;
- à être sûr de ses exigences ;
- à être capable d'écouter comme de s'affirmer ;
- à être capable d'en laisser passer ;
- à favoriser la socialisation ;
- à favoriser la curiosité et les initiatives ;
- à favoriser l'autonomie ;
- à faire la distinction entre les besoins de sa personne, du couple et de ses enfants ;
- à proposer des activités agréables ;
- à applaudir aux réussites de l'enfant ;
- à lui démontrer sa confiance ;
- à l'aider à agir seul[11]. »

Ce type de parent se montre ferme à l'occasion, quand il s'agit des valeurs et des règles qu'il juge importantes pour son enfant, et souple par ailleurs. Il donne une marge de liberté à son enfant tout en l'encadrant par des limites structurantes. Comme le mentionne Robert-Ouvray, les limites favorisent chez l'enfant l'apprentissage de la responsabilité :

11. *Op. cit.* p. 81

« Les limites structurantes entraînent des conflits nécessaires qui rendent possibles la discussion et la confrontation. Elles engagent l'enfant vers le chemin de la responsabilité, c'est-à-dire la capacité en fonction de son âge et de sa maturité d'assumer ses choix et ses actes. Le sens des responsabilités incite à dire : « Tu ne peux pas faire n'importe quoi. » Ce n'est pas de la soumission, mais du respect. Et on trouvera une réaction à toute transgression des règles qui organisent la vie. L'absence de réaction à une transgression est très néfaste pour l'enfant. Il est alors abandonné dans un vide angoissant et, pour maîtriser cette angoisse, l'enfant recommence sans cesse les transgressions[12]. »

Ce type de parent, guide et démocratique, vise instinctivement un juste équilibre entre fermeté et liberté. Il favorise l'autonomie de l'enfant, mais à l'intérieur de limites déterminées. Il adopte des attitudes et des moyens pour développer chez son enfant le sens des responsabilités. L'enfant en retire un sentiment de confiance. Il développe ainsi un pouvoir d'agir qui lui permet d'influencer ce qui lui arrive. Il est responsable et persévérant dans ses apprentissages, ce qui favorise un bon rendement scolaire. Enfin, compte tenu du fait qu'il est responsable pour son âge, il devient compétent socialement et recherché par ses compagnons.

La conscientisation du sens des responsabilités

Le parent responsable incite son enfant à respecter les autres et certaines des choses qui l'entourent. Il lui montre très tôt qu'il y a des comportements positifs et d'autres qui sont inacceptables, selon ses valeurs. Par exemple, il prête son jouet à son ami, c'est gentil ; il fait tomber son copain, c'est inacceptable. L'enfant

12. B. Robert-Ouvray. *Mal élevé, le drame de l'enfant sans limites.* Paris : Éditions Desclée de Brouwer, 2003, p. 203.

se retrouve devant une logique binaire (bon/méchant, bien/mal) qu'il intériorise après quelque temps. Après avoir observé ses parents et leurs interventions, l'enfant développe une conscience morale et apprend que le bien est supérieur au mal.

Selon Damon[13], plusieurs facteurs influencent le développement moral chez l'enfant :

> « Un jeune acquiert progressivement une identité morale à travers des milliers de petits événements, tels les commentaires des autres, l'observation de comportements qui l'inspirent ou le dégoûtent, la réflexion sur sa propre expérience, les influences familiales, scolaires ou des médias. »

La prise de conscience de sa responsabilité s'appuie chez l'enfant sur sa compréhension des relations logiques et causales entre ses actions et leurs conséquences, ainsi que sur sa conscience morale. Plus le parent aide son enfant à comprendre les relations logiques entre les causes et leurs effets, plus l'enfant devient habile à raisonner, à faire des déductions, à anticiper les conséquences de ses gestes et de ses paroles sur lui-même et sur les autres, à résoudre des conflits.

Il ne faut pas faire injure à l'intelligence d'un enfant en limitant la discipline au modèle action-réaction. Entre un comportement inacceptable (action) et une punition (réaction), il y a certainement place au raisonnement. À chaque réprimande ou exigence, on doit fournir une explication à l'enfant pour qu'il en juge la pertinence, même s'il est frustré, pour qu'il en vienne à jeter un regard critique sur son comportement. C'est cette incapacité à faire des jugements critiques sur ses expériences et à adapter son comportement qui empêche l'enfant de se maîtriser. Ce qui trouble un enfant, c'est de ne pas être respecté, et

13. W. Damon. *Op. cit.*

ce qui le marque, parfois pour toute la vie, c'est de ne pas comprendre. Quand le parent impose des règles de conduite dont son enfant ne comprend pas le bien-fondé, il a tendance à se conformer en refoulant son agressivité ou à s'y opposer. Un parent ne peut imposer à son enfant un contrôle personnel qu'il ne manifeste pas lui-même, tout comme il ne peut l'obliger à accepter des règles de conduite qu'il ne prend pas la peine d'expliquer. L'enfant doit profiter d'une discipline cohérente, dont il comprend la logique. Il sait qu'il peut toujours la discuter ou la contester, mais de façon adaptée, dans les limites imposées par les parents.

Plutôt que de brandir punitions et menaces, comme une épée de Damoclès, il est beaucoup plus profitable d'expliquer à l'enfant les conséquences de ses gestes et de ses paroles. Il est encore plus pertinent de l'encourager à se rendre compte lui-même des conséquences de son comportement et à trouver des solutions. Ainsi, le parent le guide le plus possible et l'encourage à prendre conscience des responsabilités personnelles dans les actes qu'il pose et les paroles qu'il prononce. L'accompagnement de l'enfant est possible et souhaitable, car nous savons qu'autour de 24 mois la majorité des enfants sont capables de reconstituer intellectuellement les causes en présence de leurs effets. Plus tard, la capacité de représentation mentale évolue suffisamment pour « lire » les expériences après coup et en tirer des conclusions. En général, à partir de 3 ou 4 ans, les enfants sont capables de comprendre la relation entre leurs actions et leurs effets sur les autres, si les adultes les accompagnent en ce sens.

En psychoéducation, on parle de l'utilisation[14] comme de l'une des trois modalités de la relation d'aide qui complète l'organisation et l'animation. C'est un processus utilisant les

14. G. Gendreau. *Jeunes en difficulté et intervention psychoéducative*. Montréal : Éditions Sciences et culture, 2001.

événements du quotidien pour entraîner le jeune à « lire » après coup ce qu'il a vécu, afin qu'il prenne conscience de son rôle (attitudes, gestes, paroles), ainsi que de la conséquence de ses gestes sur lui-même et sur les autres. Tout parent ayant de l'empathie peut guider son enfant dans un processus visant à prendre conscience de ses responsabilités. Quand il soutient son enfant et l'aide à être conscient, par exemple de la conséquence de son action sur un camarade, il doit lui expliquer que c'est son action qui est répréhensible et non pas lui, comme enfant, dans son intégrité. Le parent doit aller plus en profondeur en aidant l'enfant à prendre conscience de son sentiment ou de son besoin qui a provoqué l'action inadéquate. Enfin, le parent doit lui suggérer des moyens adaptés ou l'aider à en trouver pour mieux exprimer son sentiment ou son besoin.

Il est important de souligner que l'accompagnement de l'enfant dans une telle démarche de conscientisation doit se faire quand celui-ci est disposé, ainsi que le parent, et non pas quand l'enfant est encore envahi émotivement par la situation. Aussi, le parent doit expliquer clairement à l'enfant les valeurs pour lesquelles il réprouve certaines actions ou paroles. Même si le jeune est intellectuellement capable de comprendre les relations logiques et causales entre ses actions et leurs conséquences sur les autres et sur lui-même, il est possible qu'à la suite d'une action inadéquate, il y ait recrudescence de son égocentrisme, du fait qu'il est encore pris émotivement par l'événement. Il peut nier sa responsabilité. Il importe alors au parent d'attendre que l'enfant soit prêt à revenir sur la situation.

L'égocentrisme d'un enfant ne disparaît pas soudainement et définitivement vers l'âge de 7 ou 8 ans. Il peut resurgir momentanément et temporairement dans diverses situations. Pour aider l'enfant à s'adapter, il faut l'aider à décoder les signaux de ses camarades et à saisir l'impact ou les conséquences de ses gestes et de ses paroles sur les autres. En général, les enfants d'âge scolaire sont capables d'une telle représentation. Pour ce faire, l'enfant doit se dégager de son égocentrisme et se mettre mentalement à la place de l'autre. Il est essentiel d'adopter cette attitude de « décentration » pour comprendre ses responsabilités, et le parent doit guider l'enfant en ce sens. Par exemple, il peut lui dire : « Quand tu as traité Benoît de stupide, d'après toi qu'a-t-il ressenti ? » Il faut que l'enfant arrive à mettre des mots sur les sentiments des autres. De cette façon, il arrive à les prendre en considération. Cette prise de conscience l'aidera à freiner ou à modifier ses gestes et ses paroles. Par ailleurs, le parent doit rassurer l'enfant en lui disant qu'il a le droit d'être fâché, mais qu'il doit exprimer sa colère dans le respect de l'autre. Il est aussi opportun de lui suggérer des façons acceptables d'exprimer ce sentiment.

La conscience morale d'un enfant ne suffit pas à l'amener à une action morale. Parfois, l'enfant doit assumer la responsabilité de ses gestes et de ses paroles en réparant les torts qu'il a causés. Par exemple, si on demande à un enfant de réparer un objet qui appartient à un camarade et qu'il a endommagé, il est fort possible qu'il s'y oppose ou qu'il soit frustré. Il est important que le parent soit ferme dans sa demande. Les frustrations sont essentielles pour intégrer des expériences de vie. Un enfant doit comprendre qu'il ne peut faire tout ce qu'il veut. La frustration met l'enfant en contact avec le principe de réalité, avec une discipline de vie. Par exemple, dans une école, on insistait sur le respect de l'environnement. Deux garçons de 10 ans voulurent tester cette valeur et lancèrent des déchets dans la cour de récréation. La réparation prévue consistait en une corvée de nettoyage de la cour pendant toute la durée d'une récréation. Les garçons s'activèrent en procédant à un superbe nettoyage. L'efficacité de la mesure se vérifia après plusieurs semaines, car non seulement les deux garçons ne récidivèrent pas, mais par la suite ils se mirent à intervenir auprès des autres pour les empêcher de jeter leurs déchets par terre. Ils développèrent non seulement une conscience de l'environnement, mais aussi une plus grande appartenance à leur école.

L'objectif ultime de la réparation consiste à faire acquérir à l'enfant une autodiscipline et la prise en charge de ses responsabilités. La réparation doit être conçue comme un processus de résolution de problèmes, en permettant à l'enfant de corriger ses erreurs et de résoudre des conflits. Elle ne se limite pas à dédommager les victimes d'actes inadéquats, mais elle permet surtout à l'enfant d'apprendre à corriger ses erreurs. À la suite d'une réparation, l'enfant se sent plus responsable et moins coupable de sa faute. Il peut ainsi rétablir une image positive de lui-même et être prêt à vivre de bonnes relations avec les autres. C'est en ce sens que la réparation préserve les relations de l'enfant avec les autres personnes.

En regard du processus de conscientisation du sens des responsabilités et en tenant compte du fait que nous croyons beaucoup à l'importance du développement de l'estime de soi chez l'enfant, la prise de conscience ne doit pas se limiter aux gestes inadéquats. Nous conseillons fortement aux parents d'effectuer souvent avec les enfants un retour sur les bons coups ou les réussites. Par exemple, quand un enfant aide sa sœur à trouver son chapeau, le parent peut lui dire : « Tu as aidé ta petite sœur, elle ne pleure plus, je suis fier de toi. » L'enfant peut également prendre conscience des relations logiques et causales lorsqu'on fait avec lui un retour sur son succès. Par exemple : « Tu as réussi cette opération mathématique parce que tu as bien placé les chiffres et tu t'es servi des tables. » L'enfant fait ainsi un lien entre sa démarche ou les moyens utilisés et le résultat obtenu. L'enfant se rend compte qu'un résultat ne survient pas par magie, mais qu'il est plutôt l'aboutissement logique de ses actions. Cette prise de conscience alimente sa propre estime.

Chapitre 4

La discipline, pour développer le sens des responsabilités

▼

L'être humain a une tendance innée, et guidée par le principe de plaisir, à transgresser les règles. Néanmoins, celles-ci sont fondamentales pour prévenir la violence et favoriser la paix. Aussi, tout milieu a besoin de règles pour fonctionner. À l'école, à la maison ou au service de garde, les adultes sont tenus d'instaurer des règles de conduite ayant pour but de sécuriser l'enfant. En lui donnant des points de repère stables, l'adulte permet à l'enfant de s'adapter à son milieu tout en lui permettant d'intégrer des valeurs.

Des règles de conduite sécurisantes

Pour bien comprendre l'importance des règles de conduite qui sécurisent un enfant, prenons l'exemple d'une personne qui s'est égarée en forêt. Pour retrouver son chemin, elle cherche des points de repère (par exemple un ruisseau, une chute, un rocher). Si elle ne trouve rien après un certain temps, elle devient de plus en plus inquiète. Ensuite, la personne devient franchement paniquée. Et si, par hasard, elle débouche sur un chemin et qu'elle y reconnaît une maison, elle ressent un sentiment de bonheur, la sécurité, car cette maison lui permet de s'orienter.

C'est là un exemple de sécurité physique, mais le même phénomène se produit sur le plan psychologique. Dans la vie, l'enfant a besoin de règles de conduite pour s'orienter. Un jeune de 10 ans nous disait : « Il n'y a pas de règlements chez moi. Je pense bien que je peux tout faire avec mes parents, ils sont "cool". Ils me laissent en paix, ils ne s'occupent pas de moi. Parfois je me sens nerveux, parce que je ne sais pas ce qu'ils veulent. » Il était évident que ce jeune vivait à la fois un sentiment d'insécurité et de toute-puissance. Dans sa famille, il n'y avait pas d'adulte suffisamment ferme et sécurisant pour lui indiquer clairement les comportements acceptables et ceux qui ne l'étaient pas. Malheureusement, ce garçon était comme égaré en forêt, sans point de repère.

Le docteur Lamontagne confirme l'importance des règles de conduite pour un enfant :

> « ...nous savons tous que les enfants ont besoin qu'on leur donne des limites. Ils ont besoin de savoir clairement jusqu'où ils peuvent aller avant que leur comportement ne devienne inacceptable. Ceci s'applique d'ailleurs à toutes les relations humaines. Trop de parents oublient que l'enfant apprend à maîtriser son environnement en apprenant à obéir à des règles précises[1]. »

Les règles de conduite ou la discipline favorisent un sentiment de sécurité chez l'enfant. Toutes les personnes, particulièrement les jeunes, ont besoin de règles comme points de repère pour s'organiser et s'orienter dans leur vie. En famille et en société, ces règles traduisent des valeurs ainsi qu'une façon de vivre. Malheureusement, de nombreux parents confondent règles de conduite et ordres. Ils pensent qu'imposer des limites signifie automatiquement l'obéissance et la désobéissance comme un manque de respect à leur égard. Ces parents confondent « autorité » et « autoritarisme ».

L'autoritarisme vise une obéissance aveugle de l'enfant, sans avoir à se justifier. C'est le cas par exemple d'un parent qui dit : « J'ai raison parce que je suis ton père, tu n'as pas à rouspéter ! »

1. Y. Lamontagne. *Être parent dans un monde de fous*. Laval : Éditions Guy Saint-Jean, 1997.

L'autorité ne doit pas avoir pour but premier d'assurer le bien-être du parent, mais plutôt de protéger l'enfant, de le sécuriser et d'en prendre soin. Elle a une triple finalité : d'abord, prévenir et arrêter les comportements inacceptables pour l'enfant et pour les autres, ensuite lui transmettre des valeurs et enfin lui apprendre ses responsabilités. Une règle de conduite est une modalité éducative qui vise ces trois objectifs.

Les règles de conduite doivent être établies en fonction de l'âge de l'enfant et tenir compte de ses besoins et de son niveau de développement. Imposer une limite ou une règle de conduite, c'est en même temps prévoir que l'enfant peut la transgresser. Cela fait partie de l'éducation. Pour prévenir des écarts de conduite et faire acquérir à l'enfant une conscience morale et le sens des responsabilités, les règles de conduite doivent comporter les caractéristiques suivantes.

Des règles claires

Les règles doivent être claires, elles doivent véhiculer des valeurs éducatives facilement compréhensibles par les enfants (respect de soi, des autres et de l'environnement). Il n'y a pas de bonnes ou de mauvaises valeurs. Tout dépend de notre morale et de nos choix éthiques : respect, honnêteté, responsabilité, fiabilité, engagement. Ce sont des valeurs que les parents ont choisies et qui donnent un sens à leur vie. Ils doivent avoir ce souci de transmettre à l'enfant des valeurs autant que de satisfaire ses besoins de développement. Il est essentiel que les parents établissent les principales valeurs qu'ils veulent transmettre, tout en éliminant celles qui sont moins importantes. Il est important qu'il y ait consensus des adultes autour de ces règles, ainsi l'enfant constate qu'il vit dans un milieu stable et cohérent. Si cette entente n'existe pas et si les adultes se contredisent, l'enfant peut facilement ressentir de l'insécurité et manipuler les situations en fonction de son principe de plaisir.

Des règles concrètes

La formulation des règles doit exprimer les comportements souhaités, sans ambiguïté et sans fausse interprétation. Pour se sentir en sécurité, l'enfant doit savoir exactement ce qu'on attend de lui. Les règles doivent être formulées de façon concrète, sur un mode constructif. Il faut éviter le plus possible les « ne pas ». Par exemple au lieu de dire « ne cours pas », il est plus concret et profitable de dire « marche ». En général, les enfants qui ont trop entendu de « ne pas » sont immunisés par rapport aux interdictions. Ils ne les entendent plus. Dans plusieurs écoles, on a établi un code de vie qui est un ensemble de règlements auxquels les élèves doivent se soumettre. Dans plusieurs cas, ce code de vie se limite à une liste d'interdictions, de comportements à éviter. En réalité, il n'y a aucune vie dans ce qu'on appelle « code de vie ». Malheureusement, on n'indique pas ou si peu aux élèves les comportements qu'on attend d'eux. Enfin, pour que les enfants soient capables de respecter les règles, celles-ci doivent aussi être réalistes, c'est-à-dire adaptées à leurs capacités et à leur niveau de développement.

Des règles constantes

L'application des règles ne doit pas varier au gré de l'humeur du parent. La constance est synonyme de fermeté. Les parents et les éducateurs ont souvent du mal à faire preuve de constance, car, comme tout être humain, ils vivent des stress et connaissent des changements d'humeur. Pour favoriser la constance, il est important de n'avoir qu'un nombre réduit de règles à faire respecter, car en général les enfants de 6 à 12 ans ne peuvent intégrer et appliquer que cinq règles à la fois. La constance et la fermeté prennent un sens constructif quand l'adulte garde à l'esprit les valeurs qu'il veut transmettre. Un enfant se sent rassuré quand le parent lui indique clairement que chaque fois qu'il fera tel geste inacceptable, il l'arrêtera, jusqu'à ce qu'il soit assez responsable pour s'arrêter de lui-même. Ainsi, aux yeux de l'enfant la réaction de l'adulte est prévisible et sans surprise, ce qui le sécurise.

Il y a un grand principe éducatif à retenir : la constance dans l'application des règles aide beaucoup plus les enfants à intégrer des valeurs que le degré de sévérité des punitions. Cela veut dire que si vous êtes constants dans l'application d'une règle et qu'à la suite d'une désobéissance, l'enfant assume la conséquence de ses actes, cette constance est plus profitable pour l'enfant que si vous êtes inconstants et qu'à la suite d'une quelconque désobéissance, vous imposez une grosse punition à l'enfant.

De plus, fermeté n'est pas synonyme de fermeture ou de rigidité. Par exemple, on peut suspendre temporairement une règle pour une occasion spéciale ; on doit alors faire comprendre à l'enfant qu'il s'agit d'un privilège ou d'une exception, et que la règle redeviendra en vigueur dès que cette occasion sera passée. Constance et fermeté sécurisent beaucoup les enfants ; elles leur permettent de voir les adultes comme des êtres justes, fiables et dignes de confiance.

Des règles cohérentes

Transmettre des valeurs à un enfant, cela se fait essentiellement de deux façons : par des règles de conduite et par l'exemple. Ainsi est-il essentiel que le parent prêche par l'exemple en agissant lui-même selon les valeurs qu'il veut transmettre. Cela peut paraître évident, pourtant ce n'est pas toujours le cas. Par exemple, dans certaines écoles et certains milieux de garde, on interdit aux enfants de mâcher de la gomme, alors que certains membres du personnel ne respectent pas cette même règle. On dit aussi aux enfants de ne pas crier, alors que les parents crient en leur adressant la parole. Combien de procès d'enseignants se sont déroulés autour d'une table de cuisine ? Le parent exprime devant l'enfant des jugements irrespectueux à l'égard de l'enseignant et, le lendemain, il est surpris d'apprendre que son enfant a été impoli envers cet enseignant. Nous avons aussi constaté que des parents prennent le parti de leurs enfants qui se sont battus à l'école, tout en interdisant la bataille à la maison. L'enfant est très sensible à ces contradictions, surtout quand il a commencé à développer un jugement logique et critique qui lui permet de constater le manque de cohérence entre les paroles de l'adulte et son comportement. La transmission des valeurs se produit dans une relation que l'enfant tisse avec l'adulte, faite d'attachement et de respect. Encore faut-il que l'adulte soit authentique et sincère pour promouvoir ces valeurs. La cohérence entre valeurs prônées et comportements prend la forme d'un témoignage qui inspire sécurité et confiance.

Des règles conséquentes

Les enfants ont tous, à des degrés divers, une propension à transgresser les règles. Leurs comportements ont alors des conséquences sur eux-mêmes et sur les autres. L'enfant doit apprendre à assumer ces conséquences si l'on veut qu'il assume ses responsabilités.

Cette prise de conscience doit être logique ou naturelle (un enfant renverse son verre de lait, alors il doit essuyer le dégât), ou se faire par réparation. Le geste de réparation doit être étroitement lié à l'acte reproché. À ce propos, il convient de distinguer punition et réparation. Cette dernière est logiquement liée à l'acte, alors que ce n'est pas le cas pour une punition. Par exemple, si un enfant frappe un compagnon et qu'on lui fait faire du piquet pour expier sa faute, il s'agit d'une punition. En effet, il n'y a aucun lien logique entre ces deux comportements : frapper l'autre et faire du piquet. Il est possible que l'enfant ne répète pas ce comportement, non parce qu'il a compris sa faute, mais plutôt pour éviter une autre punition. Cette dernière est essentiellement un conditionnement par aversion.

Plusieurs parents croient que l'acquisition du sens des responsabilités et de l'autodiscipline ne se fait qu'avec des punitions. Ce sont des tenants du conditionnement qui rendent les enfants dépendants du contrôle extérieur. Ce n'est certainement pas une attitude favorisant la responsabilité personnelle. Contrairement à la punition, la conséquence par réparation permet aux enfants de corriger leurs erreurs. Ils peuvent ainsi apprendre de nouveaux comportements qu'ils appliqueront ensuite dans d'autres situations.

Pour comprendre le sens de la réparation, prenons l'exemple d'un enfant qui agresse physiquement ou verbalement un camarade. On peut décider qu'il devra, pour réparer cette faute, rendre service à son camarade. Dans le cas d'un élève dont le comportement perturbateur nuit au groupe dont il fait partie, la réparation peut être d'assumer, après coup, une responsabilité permettant d'aider le groupe. Tout enfant a besoin de solutions de rechange par rapport à des comportements inacceptables. Par exemple, lorsque le parent lui dit : « On ne fait pas cela ! », mais qu'il ne lui montre pas ce qu'il doit faire, il laisse l'enfant dans un vide insécurisant. Il le prive de son besoin de sens.

Les conséquences logiques et naturelles sont directement liées aux comportements que le parent juge inacceptables, selon ses valeurs. Par exemple, si l'enfant met le salon en désordre, il est inutile de le coucher une demi-heure plus tôt ; il doit avant tout mettre de l'ordre. Les conséquences doivent être évidentes et sans réplique. L'enfant ne doit pas pouvoir argumenter. Ainsi, il apprend à faire des liens logiques, il comprend que ses actes entraînent des conséquences. S'il dresse la table, il sera félicité ; s'il laisse le marteau dehors sous la pluie, il devra enlever la rouille, etc.

Un comportement répréhensible peut entraîner une conséquence par soustraction, par exemple la perte d'un privilège. Dans la cour de récréation, Simon pousse les autres enfants.

L'éducateur l'amène à l'écart et lui explique qu'il peut blesser les enfants. Malgré cette intervention, le garçon pousse encore ses compagnons. L'éducateur le conduit à l'intérieur de l'école en lui disant qu'il devra y rester puisque son comportement est dangereux. Il sera donc privé du privilège de jouer dehors. S'il continue de pousser les enfants, on lui interdira de nouveau l'accès à la cour. Il est important de donner à Simon la chance de se racheter aussitôt que possible.

En agissant ainsi, l'éducateur doit faire en sorte que l'enfant ne se sente ni diminué ni ridiculisé. C'est son comportement qui doit être sanctionné. De plus, en lui retirant le droit à la récréation, l'éducateur doit échanger avec lui pour décoder ce qui amène cette propension à pousser les autres: besoin de prendre contact? de jouer? d'attirer l'attention? L'éducateur doit lui suggérer des moyens acceptables de satisfaire son besoin au lieu de pousser les autres.

La conséquence logique par soustraction est parfois un moyen pertinent d'inciter un enfant à comprendre l'importance d'être responsable pour profiter d'une activité ou d'un privilège.

Pour développer l'estime de soi, il est préférable que la conséquence d'un écart de conduite prenne la forme d'un geste réparateur et constructif. Dans cette perspective, lorsque l'enfant a réparé sa faute, l'adulte doit souligner le premier geste positif qu'il pose afin qu'il vive le moins longtemps possible avec une image négative de lui-même. La réparation doit apporter à l'enfant un apaisement de son sentiment de culpabilité. Ainsi, à la suite d'une conséquence, l'enfant se sent plus calme et serein, ouvert et confiant envers l'adulte. Nous avons souvent constaté qu'il est plus satisfaisant pour un parent d'aider son enfant à réparer une erreur que de le punir.

En général, les enfants sont très sensibilisés à leurs droits et à leurs libertés, mais très peu à leurs responsabilités et à leurs devoirs. Or, c'est par la réparation que l'enfant saisit les liens entre ses paroles et ses gestes, et leurs conséquences sur une autre personne ou sur l'environnement.

En réparant ses erreurs de façon constructive, l'enfant comprend et assume la responsabilité de ses gestes et de ses paroles. Pour la majorité des parents, il n'est pas facile d'appliquer ce principe de réparation dans le feu de l'action, car la plupart ont été habitués à des punitions durant leur propre enfance.

À RETENIR

Les enfants apprennent à connaître les effets de leur comportement sur leur entourage quand ils en voient les **conséquences logiques**. Le fait de montrer à l'enfant les conséquences de ses actes comporte des avantages. En voici quelques-uns :

- cultiver une relation agréable et respectueuse entre l'adulte et l'enfant ;
- permettre aux enfants de développer de nouvelles façons de bien se comporter ;
- inciter les enfants à être responsables, ce qui favorise la maîtrise et l'estime de soi, ainsi que l'autodiscipline ;
- apprendre aux enfants que leurs actions sont directement liées à des conséquences ;
- encourager les enfants à prendre leurs propres décisions en fonction des conséquences de leur comportement.

D'une discipline répressive à une discipline incitative

La détermination du parent, son calme et la clarté de ses valeurs suffisent, la plupart du temps, pour que l'enfant adopte des comportements positifs. Prendre le temps d'écouter l'enfant, respecter son opinion, utiliser l'humour, à l'occasion, voilà de bonnes attitudes parentales pour éviter que l'enfant se retire en contestant l'autorité. Ces attitudes sont d'abord alimentées par la relation affective. Un enfant qui se sent investi et écouté perçoit qu'il est important et pris au sérieux par ses parents. Il cherche moins à attirer l'attention et à transgresser des règles de conduite. Il tolère davantage les retards et les frustrations.

Toutefois, les parents doivent accepter que l'enfant proteste devant certaines règles de conduite. Il est important qu'ils favorisent sa pensée critique, tout en tenant compte de la réalité. Les parents ne doivent pas se sentir menacés ou rejetés par les argumentations de leur enfant.

Par contre, certains enfants sont particulièrement doués pour s'opposer et provoquer. Il est facile de tomber dans un rapport domination-soumission lorsque le parent et l'enfant sont en conflit et se préparent à s'affronter. C'est le parent qui peut éviter cela, en résolvant chaque conflit avec l'enfant sans qu'il y ait de perdant. Ce n'est pas une attitude adoptée par tous les parents, car plusieurs cherchent à éliminer le conflit en dominant les enfants. Ils adoptent ainsi une discipline répressive.

Qu'est-ce qu'une discipline répressive ?

Cette forme de discipline, malheureusement la plus courante, se limite à réprimer les comportements perturbateurs en négligeant d'encourager et de valoriser les bons comportements. Avec une telle discipline, les parents prêtent plus attention aux comportements négatifs, ce qui fait que les enfants ayant compris cette situation tendent à répéter ces comportements afin qu'on s'occupe d'eux.

Étienne, un enfant de 3 ans, ne posait aucun problème à son éducatrice à la garderie. Il était plutôt renfermé et suivait bien les consignes de son groupe. L'éducatrice avait même mentionné aux parents que leur petit était si tranquille qu'elle risquait parfois de l'oublier. Quelques semaines plus tard, l'éducatrice convoque ses parents pour les informer qu'elle ne reconnaît plus l'enfant, car maintenant il perturbe le groupe. Elle est consternée : l'enfant frappe ses camarades, parfois il détruit leurs productions et s'oppose fréquemment aux consignes. En plus, il est imperméable à ses interventions.

Les parents s'étonnèrent d'entendre cela, puisqu'à la maison le comportement d'Étienne n'avait pas changé. L'éducatrice fut contrainte de l'envoyer à la conseillère pédagogique ou à la directrice. Ces dernières essayèrent de le raisonner, pour finir par se résigner à l'occuper à des jeux individuels, en dehors du groupe. En procédant à une observation systématique de son comportement, il apparut évident que l'enfant avait trouvé la recette idéale pour recevoir de l'attention.

Longtemps, Étienne avait manifesté des comportements favorables, mais il était anonyme dans le groupe et parfois même ignoré par son éducatrice. Grâce à son indiscipline, il captait l'attention des adultes, on s'occupait enfin de lui. Tel est, malheureusement, le drame de milliers d'enfants.

Il est normal que certains comportements exaspèrent les adultes. Dans de telles situations, ceux-ci perdent souvent de vue les qualités de l'enfant, ils s'éloignent et deviennent répressifs. Toutefois, quand le parent a souligné à plusieurs reprises les bons coups de l'enfant, ses comportements favorables et ses qualités, celui-ci accepte beaucoup plus facilement les moments d'impatience du parent. Une discipline répressive se manifeste souvent dans les paroles. Des jugements à l'emporte-pièce, comme « tu n'es pas gentil » ou « tu es stupide », font croire à l'enfant qu'il est méchant. Si ces jugements négatifs sont fréquents, l'enfant en vient à se déprécier. Contrairement à ces jugements et aux punitions, les conséquences ne remettent pas en cause la personne, seulement ses gestes et ses paroles. Les mots qui blessent, le mépris et la critique manifestent souvent le désir du parent de dominer.

Manifester son autorité par des punitions dans le but de soumettre l'enfant à ses exigences constitue une attitude dominatrice et répressive. Elle suscite inévitablement de la rancœur chez le jeune. Lorsque ce dernier obéit au doigt et à l'œil, il craint d'être rejeté et il a peur du parent. Ce n'est pas là une attitude de respect, mais plutôt de soumission. La discipline répressive est souvent liée au fait que des parents ont conservé une mentalité de punition, en souhaitant qu'elle soit sévère et mortifiante pour garantir la disparition d'un comportement inacceptable. Voilà une forme de dressage déguisé.

En général, les punitions entraînent une escalade de comportements néfastes. Le parent commence par une petite réprimande, souvent moins forte que la tentation qui le tenaille, mais cela ne produit aucun effet chez l'enfant. Le parent se sent alors obligé de lui faire subir une punition plus sévère, et une autre encore, et cela monte en crescendo jusqu'à ce que le parent soit à court de punitions et qu'il perde le contrôle. Il ne reste alors qu'un pas à franchir avant de passer au châtiment corporel.

Or, la conscience morale et le sens de la responsabilité personnelle ne peuvent se développer par des punitions. Celles-ci empêchent souvent les enfants de tirer des leçons de leurs comportements inadéquats. Elles les empêchent de comprendre leurs responsabilités personnelles. Les règles sont souvent transgressées dès que les parents ont le dos tourné. Ainsi, les enfants apprennent rapidement le principe du « pas vu, pas puni », plutôt que de comprendre leurs responsabilités en voyant les conséquences de leurs actes.

Quand un parent est plus répressif qu'incitatif, il se crée un climat de suspicion entre lui et l'enfant, ce qui creuse un fossé d'autant plus profond que le parent cherche à réprimer le comportement de son enfant par des châtiments corporels. Dans le langage populaire, on entend parfois, pour parler de la discipline avec les enfants, des phrases comme « je lui ai donné une bonne fessée » ou « je l'ai tapé pour son bien », comme si on voulait donner un caractère positif aux punitions corporelles. Or, une fessée peut-elle être « bonne » alors qu'on inflige de la douleur ? Peut-on vouloir le « bien » de son enfant en lui faisant « mal » ?

Sylvie Bourcier et Germain Duclos ont écrit un article dénonçant les méfaits des punitions corporelles chez l'enfant. En voici quelques extraits.

« La punition corporelle est une mesure répressive ou de conditionnement par aversion. Cette forme négative de discipline vise à éliminer un comportement inacceptable chez l'enfant. C'est une pratique très courante dans le dressage des animaux domestiques. Malheureusement, elle sert trop souvent à l'adulte comme exutoire ou comme moyen de libération de sa propre tension ou de sa colère. Il est pourtant généralement admis que les coups donnés aux enfants sont inefficaces à long terme. Les châtiments corporels imposent à court terme une obéissance de l'enfant, mais à long terme ils produisent de la peur, de l'agressivité, un désir de vengeance ou de révolte et la volonté d'occuper à son tour une position de pouvoir. Ainsi, la violence physique envers les enfants est souvent à l'origine de la violence chez les adultes.

« Qu'en est-il des effets affectifs et sociaux des punitions corporelles chez les enfants ? Ce qui est le plus précieux pour un enfant, c'est son lien avec ses parents. Lorsqu'il reçoit des coups du parent aimé, l'enfant devient confus quant à la sincérité de l'amour du parent : il est difficile pour lui de comprendre qu'on l'aime en le faisant souffrir. Il est surprenant d'entendre Christiane Olivier, une psychanalyste reconnue, dire dans une entrevue à l'émission *Enjeux*, de la Société Radio-Canada : « Moi, je crois qu'on embrasse un enfant avec beaucoup d'amour, et je crois qu'on le tape également avec beaucoup d'amour. À ce moment-là, on se dit : "Je l'éduque, je ne veux pas que mon enfant soit un vaurien !" » Comment taper avec amour ? En se coupant de l'affect ou de toute charge affective ? Nous sommes convaincus que la majorité des parents en seraient incapables, et encore moins ceux qui sont impulsifs. Cette déclaration traduit une mentalité de parents répressifs qui croient encore aux vertus de la « baffothérapie » !

« Devant la violence physique, il est inévitable que l'enfant ressente de l'insécurité. Essayons d'imaginer ce que vit un enfant de 15 kilos qui se fait frapper par un adulte de 75 kilos ; il a peur que l'adulte abuse de sa force et lui inflige des blessures. Il est fort possible qu'il adopte au quotidien un comportement défensif, une hypervigilance ou une méfiance envers les adultes de son entourage. Nous avons connu des enfants qui se recroquevillaient dès qu'on s'approchait d'eux. Or, un enfant doit vivre un sentiment de sécurité physique et psychologique pour se développer. Cela est indispensable pour établir une relation de confiance.

(...)

« Quand un parent frappe son enfant, il ne lui donne pas un exemple de maîtrise de soi, de respect de l'autre et du sens des responsabilités. En agissant ainsi, le parent signifie à l'enfant qu'on peut résoudre un problème par la violence physique. L'enfant apprend que le recours à l'agression corporelle est une façon acceptable de résoudre un problème avec les autres. Des recherches longitudinales ont démontré une forte corrélation entre l'usage de châtiments corporels et des comportements inadaptés et déviants comme la délinquance, la violence, les homicides, l'abus d'alcool et de drogues, les tentatives de suicide... Les abus physiques et la négligence font partie de l'histoire de la majorité des criminels. Il est reconnu scientifiquement que les enfants punis physiquement risquent davantage d'être violents avec leurs camarades.

« On pourrait, à titre de mesure préventive, interdire tout châtiment corporel envers des enfants. En effet, il y a danger d'escalade chez certains parents. Si un parent gifle son enfant sous le coup de la colère, il est fort possible que ce dernier réagisse négativement. Devant la protestation de l'enfant, la colère du parent peut augmenter d'un cran, et l'enfant risque d'être frappé plus fort, même à la tête, voire être projeté contre un mur. La gifle du début, qui paraissait anodine, aboutit à une agression brutale et dangereuse pour l'enfant. Il est prouvé que les formes mineures de punition corporelle augmentent les risques de dérapage vers des formes plus violentes.

« Certains enfants sont victimes de sévices corporels, mais ils défendent le parent. Tout enfant veut protéger la relation qu'il a avec ses parents, même quand elle comporte de l'abus et des agressions. L'enfant a besoin de se convaincre que son parent l'aime. Pour mériter cet amour, il apprend à refouler sa peur, sa colère et même sa douleur afin de ne pas menacer la relation. Parfois, il est pathétique de constater à quel point un enfant justifie les comportements violents du parent.

« Il est normal qu'un enfant s'identifie à ses figures d'attachement. Lorsqu'il est en contact avec un adulte aimé et qu'il constate que celui-ci se montre incapable de freiner ses pulsions et de se maîtriser, l'enfant reproduit souvent ce modèle négatif.

« Par ailleurs, un enfant qui se fait battre finit par développer une faible estime de lui-même. Il déduit de la répétition des châtiments corporels à son égard qu'il n'a pas de valeur aux yeux du parent. Il se dit qu'on ne l'aime pas assez pour le protéger. Beaucoup d'enfants victimes se sentent coupables, à tel point qu'ils jugent qu'ils ont mérité les fessées. Ils intériorisent peu à peu une mauvaise image d'eux-mêmes : ils se jugent méchants et sans valeur.

(...)

« Quelle que soit notre méthode éducative, nous influençons nos enfants. À nous de choisir quelle influence nous voulons exercer. Selon un proverbe allemand, *un homme convaincu contre son gré n'a pas changé d'opinion*. De la même manière, l'enfant soumis de force peut se taire et se restreindre par la peur, mais il vit indubitablement du ressentiment. Il apprend peu à peu à éviter les situations qui risquent de provoquer le courroux de ses parents. En ce sens, la punition corporelle est efficace.

« Notre influence sur nos enfants repose avant tout sur la qualité des relations que nous entretenons avec eux. Dans une relation de pouvoir et de domination, où la force est utilisée pour contrôler, l'enfant se dresse contre l'adulte. L'influence s'exerce alors par la peur et la dépendance. À l'inverse, une relation qui s'appuie sur l'amour et le respect pousse l'enfant à se responsabiliser.

« L'usage fréquent des châtiments corporels banalise les gestes de violence. Certains enfants prennent leur revanche sur les plus petits, car ils ont observé que les grands font de même et qu'avec la force, on obtient ce que l'on veut de l'autre. Parmi les parents qui frappent leur enfant, plusieurs ont été eux-mêmes frappés. Le cycle de la violence se perpétue de génération en génération.

« Lors d'une rencontre à la garderie, une mère raconta qu'elle avait frappé son fils pour le corriger d'avoir donné des coups à un petit voisin. Or, elle confie : Pourtant, quand j'ai su que j'étais enceinte, j'avais promis ne pas répéter ce que mon père me faisait.

« Presque tous les parents aiment profondément leurs enfants. En général, la punition corporelle n'est pas la manifestation d'un manque d'amour, mais plutôt l'effet d'un sentiment d'impuissance.

(...)

« Les parents vivent plusieurs sources de stress. Certains sont capables de bien les identifier et de les absorber. Malheureusement, d'autres sont plus vulnérables et démunis. Ils sont tendus et en désarroi devant des problèmes de discipline ou d'autres éléments de stress inhérents à la vie familiale. Ils se sentent incompétents, car ils n'arrivent pas à régler pacifiquement les problèmes de discipline ou les éléments qui perturbent leur vie familiale. Pour contrer ce sentiment d'impuissance, ils frappent leurs enfants, dans l'espoir de reprendre la maîtrise de la situation et de vivre de l'harmonie dans la famille. Pourtant, la majorité des parents qui recourent aux châtiments corporels se sentent coupables et incompétents.

« Notons toutefois que pour un enfant en crise et désorganisé, le recours à la force physique est parfois nécessaire, comme mesure de contention, à la maison ou à l'école. Cette mesure doit être utilisée quand on a appliqué tous les autres moyens, uniquement pour protéger l'enfant, pour éviter qu'il se blesse ou qu'il agresse les autres. Il faut protéger l'enfant sans le frapper.

(...)

« Les mains des parents sont faites pour soigner, caresser, tenir l'enfant quand il apprend à marcher, lui montrer les merveilles de la vie, exprimer l'amour. Les mains des parents ne sont pas faites pour lui procurer de la douleur[2] ».

À l'occasion, le plus bienveillant des parents peut s'énerver et commettre des erreurs. Il faut alors qu'il reconnaisse sa faute, et non qu'il la banalise en prétendant qu'il s'agit d'une méthode éducative efficace. On peut dire à l'enfant, « nous nous sommes trompés en manifestant notre colère par des coups, des gifles ». C'est là une façon de lui démontrer d'une part que même un adulte peut se tromper et, d'autre part, qu'il est inacceptable de faire usage de la force pour exprimer sa colère ou pour obtenir gain de cause.

---

2. S. Bourcier et G. Duclos. « La fessée au banc des accusés ». *Magazine Enfants Québec*, novembre 2004.

Il ne s'agit toutefois pas de taire notre déception ou notre mécontentement. L'enfant se rend compte que l'adulte est en colère, il sait décoder le ton de sa voix et son attitude corporelle. Chez le petit, ce double message peut être interprété de telle sorte que l'enfant apprend que la colère est répréhensible et qu'il doit la réprimer, puisque même l'adulte n'ose la dire. Il est essentiel que l'enfant sache ce que l'on pense de sa conduite. Que faire quand la colère nous fait voir rouge ?

Voici **sept conseils** pour garder son sang-froid :

1. Exprimer clairement son désaccord en préservant l'amour-propre de l'enfant. Sa conduite déplaît, mais il doit pouvoir sentir que jamais son comportement ne fera fondre l'amour que ses parents lui portent. Les mots blessants frappent, eux aussi, et tuent peu à peu la confiance de l'enfant, en lui-même et en la relation parentale. Des phrases comme « tu n'es plus ma fille » font autant de tort qu'une fessée.

2. Agir et ré-agir avant d'atteindre le point de non-retour, quand l'escalade de la colère a atteint un tel sommet que la fessée devient inévitable. Ne pas attendre d'être à bout avant d'exprimer la désapprobation.

3. Il faut apprendre à reculer (prendre de la distance), respirer et réagir. Par exemple, on peut s'isoler quelques instants aux toilettes pour prendre du recul. On peut aussi envoyer l'enfant dans sa chambre, pendant un certain laps de temps, pour favoriser le retour au calme. Cependant, le confinement ne constitue pas un moment de réflexion. L'enfant ne saurait réfléchir s'il est agité. Cette pratique vise le retour au calme plutôt que la punition. Elle ne doit pas provoquer l'affrontement de deux volontés. L'enfant peut jouer dans sa chambre et en ressortir quand il a retrouvé son calme. L'impact de cette mesure éducative réside avant tout dans la coupure passagère du lien entre l'adulte et l'enfant. Il faut donc savoir que l'utilisation récurrente du retrait de l'enfant ne lui apprendra pas à mieux exprimer ce qu'il ressent. Il est donc important de faire un bref retour, après la tempête, afin de réitérer le lien d'amour. Ce retour permet la réconciliation et devient constructif dans la mesure où l'adulte apprend à l'enfant comment il aurait pu agir ou s'exprimer autrement, au lieu de faire une bêtise ou de piquer une crise.

4. Parler avec l'éducatrice ou l'enseignante. Le partage d'expériences et d'observations permet de mieux déterminer les besoins de l'enfant et de cibler les interventions susceptibles d'y répondre. Des attitudes éducatives cohérentes entre la famille et le milieu éducatif favorisent le changement de comportement d'un enfant.

5. Se donner du temps de répit. Le stress relié à une vie trépidante exacerbe l'impatience. L'exercice, le plein air, la lecture, l'écoute de la musique, un bon bain ou un café en agréable compagnie permet de reprendre contact avec soi-même, avec la femme ou l'homme qui continue d'exister derrière le parent.

6. Travailler en équipe avec son conjoint ou sa conjointe. Convenir d'un code pour indiquer à l'autre qu'il est temps qu'il prenne la relève. L'enfant constatera que ses deux parents partagent les mêmes valeurs. En adoptant les mêmes limites, les parents font grandement diminuer la ronde épuisante des négociations de l'enfant avec l'un et avec l'autre.

7. Demander de l'aide extérieure si l'enfant fait souvent sortir les adultes de leurs gonds. Si l'adulte envisage la fessée ou développe une aversion pour l'enfant, ne pas attendre que la situation dégénère. Il faut chercher de l'aide ! Les parents ont alors l'occasion d'échanger sur les méthodes éducatives les plus susceptibles d'aider l'enfant.

Qu'est-ce qu'une discipline incitative ?

Cette forme de discipline, tout en étant ferme sur des valeurs et des règles, encourage et valorise les comportements positifs chez l'enfant, tout en lui apprenant le sens de ses responsabilités. Elle vise à actualiser ses forces, contrairement à la discipline répressive qui se limite à être réactive afin d'éliminer les comportements que le parent n'accepte pas. Pour réaliser le passage d'une discipline répressive à une discipline incitative, certains parents doivent changer leur mentalité et appliquer le principe des trois R.

Reconnaissance

Il faut souligner régulièrement les bons comportements en félicitant les enfants afin qu'ils soient conscients de la valeur de leurs gestes. Lorsque la relation est tendue entre le parent et l'enfant, il est rassurant pour ce dernier de savoir qu'il fait parfois des choses qui sont valorisées par le parent. Trop d'enfants ayant un bon comportement nourrissent une faible estime d'eux-mêmes, car on néglige de souligner le positif en eux. L'estime de soi, c'est la conscience de la valeur qu'on se reconnaît ; or, pour que cette conscience s'établisse, l'enfant a besoin de réactions positives de la part des adultes qu'il aime.

Dans certains cas, on peut utiliser des récompenses concrètes en guise de reconnaissance, mais il est important de préciser que plus la relation est forte entre un enfant et un adulte, plus les félicitations de ce dernier portent fruit.

Nous avons souvent l'occasion de rencontrer des parents marchandeurs, qui rétribuent leurs enfants avec de l'argent et toutes sortes de récompenses pour avoir la paix ou pour motiver leurs jeunes à faire certaines tâches domestiques ou à assumer d'autres responsabilités. Certains parents avouent qu'ils ont établi une liste d'honoraires pour chacune de ces tâches : faire son lit, ranger sa chambre, débarrasser la table, etc. C'est là une solution facile qui traduit souvent un manque de moyens. C'est une façon d'empêcher les enfants de manifester ces belles valeurs que sont le don de soi, la générosité et le sens des responsabilités. Il n'est pas néfaste en soi de donner une récompense en guise de reconnaissance, mais cette récompense doit toujours être accompagnée d'une réaction positive ou des félicitations du parent.

Des récompenses matérielles bien dosées et ponctuelles encouragent les enfants, surtout quand ils sont petits. Il est important de souligner qu'une récompense touche plus l'enfant et produit de meilleurs effets quand elle n'est pas annoncée à l'avance. Par exemple, un parent dit à son enfant: « Si tu fais ton lit chaque jour, nous ferons une belle sortie à la fin de la semaine ». Cette façon de faire est beaucoup moins efficace que si le parent, à la fin de la semaine, dit à son enfant: « J'ai vu que tu avais fait de beaux efforts cette semaine en faisant ton lit, je suis fier de toi et je t'emmène au restaurant pour te récompenser ». Cette attitude n'est pas calculée, elle est spontanée, et l'enfant retient surtout que le parent reconnaît ses gestes positifs, qui sont couronnés par une récompense.

Il y a tout de même du danger à utiliser systématiquement des récompenses matérielles ou des systèmes d'émulation avec des renforcements.

« Voici quelques exemples du danger encouru:

- dépendance de l'enfant envers les récompenses;
- manque de reconnaissance de l'effort chez l'enfant;
- difficulté d'observer et de noter tous les comportements souhaités et prévus dans le système d'émulation;
- concurrence entre les enfants pour obtenir les récompenses[3]. »

3. S. Bourcier. *Dangers de l'utilisation des systèmes d'émulation utilisant des récompenses matérielles dans le contexte d'un groupe d'enfants d'âge préscolaire.* Texte inédit. 2000.

Nous avons observé que plus le lien entre le parent et l'enfant est fort et inconditionnel, plus l'enfant se sent respecté et valorisé, moins le parent a besoin de recourir systématiquement à des récompenses matérielles pour imposer une saine discipline. Le sens des responsabilités ne s'achète pas. Il s'appuie avant tout sur la conscience morale de l'enfant.

Réparation

On encourage les comportements valables lorsqu'on demande à l'enfant de réparer une faute en faisant des gestes constructifs. En appliquant systématiquement ce principe, on enseigne aux enfants à être en relation avec leur entourage sur un mode constructif.

Il nous semble important que l'enfant se sente coupable après un écart de conduite qui met en cause une valeur importante aux yeux du parent. Ce sentiment de culpabilité naît d'une conscience morale en développement. Néanmoins, nous avons constaté que beaucoup d'enfants ne vivent pas ce sentiment.

Dans une cour de récréation, un garçon de 8 ans saisit un camarade par les cheveux et pousse violemment son visage contre le mur de briques. La victime pleure et saigne beaucoup du nez. L'enseignante lui prodigue alors des soins et interroge l'agresseur : « Pourquoi as-tu poussé son visage contre le mur ? » L'agresseur fixe alors l'enseignante, sans répondre, le visage impassible. L'enseignante reprend : « Regarde, il saigne ! » L'enfant demeure muet et imperturbable.

L'enseignante nous informa que ce garçon obtenait d'excellents résultats à l'école et qu'il n'était pas perçu comme ayant des difficultés de comportement. Ce phénomène d'enfants qui ne manifestent pas ou peu de culpabilité semble de plus en plus répandu, ce qui inquiète plusieurs intervenants en éducation. Une des hypothèses expliquant cette situation est la propension à tout faire pour éviter que les enfants se sentent coupables, propension que l'on retrouve chez plusieurs parents.

Une mère était très fière de relater l'événement suivant : « Un jour, le directeur de l'école m'a téléphoné pour m'informer que mon fils Charles s'était battu pendant la récréation. Il insistait pour que je lui parle afin d'éviter que cela se reproduise. Quand mon fils est revenu de l'école, je lui en ai parlé, mais je ne voulais pas qu'il se sente mal, alors je lui ai dit que c'était inacceptable de se battre, mais que l'autre garçon l'avait sans doute provoqué et que s'il avait trouvé une autre façon de résoudre le conflit, il l'aurait certainement utilisée. Je l'ai rassuré en lui disant que je n'étais pas fâchée, que j'avais confiance en lui et que cela ne se reproduirait pas. »

Une telle attitude, adoptée trop fréquemment par les parents, enlève à l'enfant toute sa responsabilité personnelle dans l'événement. Le jeune ne se sent pas coupable et ne cherche pas à s'améliorer. Nous avons observé que cette attitude parentale est plus fréquente chez les parents qui ont subi une éducation culpabilisante durant leur enfance. Par réaction, ils cherchent à éviter à tout prix que leurs petits trésors se sentent coupables ou qu'ils subissent le même sort qu'eux-mêmes. Ces parents ont tendance à justifier les écarts de conduite de leurs jeunes ou à projeter les torts sur l'école. Sans le vouloir, ces parents nuisent au développement de la conscience morale et du sens des responsabilités chez leurs enfants.

Pour réduire ce phénomène, il nous semble important que le parent intervienne fermement auprès de son enfant quand il n'a pas respecté une valeur importante. Il est possible que le jeune se sente coupable pendant un certain temps. Toutefois, il vaut beaucoup mieux pour l'enfant, et plus tard pour la société, qu'il vive à l'occasion de petits conflits névrotiques plutôt que d'en faire un psychopathe.

Lorsqu'un enfant agit de façon répréhensible, il est normal qu'il se sente coupable ou mal à l'aise. En réparant sa faute, il assume ses responsabilités et se sent donc moins coupable. Il constate que le parent lui accorde le droit à l'erreur. On peut utiliser ce principe de réparation dans nombre d'autres situations. Nous la recommandons fortement pour rendre les interventions plus efficaces. Sans réparation, la situation est inachevée; avec la réparation, on boucle un épisode et on passe à autre chose, sans pour autant banaliser la transgression.

Quand un parent fait un retour sur une situation conflictuelle avec son enfant, il est important qu'il encourage celui-ci à utiliser le « je ». La personnalisation incite l'enfant à s'approprier ses actes. Par exemple, en disant « j'ai fait cela », l'enfant démontre qu'il sait que l'action n'est pas arrivée par magie. Il personnalise son action et reconnaît sa responsabilité dans l'événement. Chez l'enfant qui a une propension à mentir, l'utilisation du « je » est plus rare, quand il est en cause dans un conflit. Il a tendance à utiliser un « tu » ou un « il » accusateur, c'est-à-dire en attribuant le tort à un autre. Il est important de souligner que lorsqu'un enfant ment, c'est en général parce qu'il ne veut pas déplaire au parent ou qu'il craint sa réaction. Ce dernier doit déceler cette crainte et rassurer l'enfant en lui signifiant qu'il est beaucoup plus profitable pour lui de dire la vérité, de faire confiance et d'être responsable de ses actes.

Rachats

Comme conséquence par soustraction, on enlève parfois des privilèges aux enfants qui ont eu des écarts de conduite. Dans la perspective du développement de l'estime de soi, il importe d'accorder à l'enfant la chance de « racheter » un privilège perdu s'il se conduit bien pendant une période déterminée à l'avance. Des parents et enseignants dominateurs et répressifs n'ont pas cette tendance. Donner à l'enfant une chance de se reprendre, c'est lui démontrer qu'il peut réparer une erreur commise et c'est aussi lui pardonner. Il est important de comprendre que lorsqu'on pardonne peu à un enfant, celui-ci vit un sentiment d'incompréhension et, plus tard, il a tendance à ne pas pardonner au parent. Le rachat montre à l'enfant qu'il a droit à l'erreur. Cette possibilité qu'on lui offre de se reprendre incite l'enfant à voir l'adulte comme un être souple et chaleureux, qui reconnaît ses efforts.

La responsabilité de ses apprentissages

Il est plus facile de rendre un enfant dépendant que de le rendre autonome et responsable. Au fur et à mesure que le jeune grandit, le parent doit se montrer de moins en moins indispensable. Il doit surtout l'aider à se prendre en main. De nos jours, trop de parents ont tendance à dorloter leurs enfants et ils sont déçus de constater leur dépendance. Ces parents oublient souvent de leur apprendre le sens des responsabilités.

Responsabiliser un enfant signifie lui donner des tâches pour qu'il prenne conscience de son rôle dans la collectivité. Aujourd'hui, nombreux sont les jeunes de 9 ou 10 ans qui ne vident jamais le lave-vaisselle, ni ne sortent les ordures. À croire qu'ils vivent dans un hôtel de luxe ! Malheureusement, il n'est pas rare de voir ces petits pachas éprouver des difficultés à l'école. Pour plusieurs, les devoirs et les leçons constituent leur toute première vraie responsabilité. Et l'apprentissage est de taille. En voyant leur enfant devant cette lourde tâche à accomplir, nombre de parents assument la responsabilité scolaire à la place du jeune, le maintenant ainsi — inconsciemment — dans un état de dépendance. Or, toute démarche éducative suppose d'abord et avant tout une certaine autonomie de la part de l'élève. C'est pourquoi l'apprentissage du sens des responsabilités doit débuter avant l'école, durant la petite enfance.

Chez tous les enfants, la capacité d'être autonome et responsable se développe graduellement, et elle est ponctuée d'évolutions subites et de régressions temporaires. Le sens des responsabilités varie aussi selon les activités en cause. Par exemple, un enfant peut se montrer responsable quand il s'agit de ranger sa chambre et l'être beaucoup moins quand il s'agit des tâches scolaires.

Il va sans dire que les activités que l'on propose à l'enfant doivent être adaptées à son niveau de développement. Avant d'aller à l'école, l'enfant doit déjà avoir appris à prendre certaines petites responsabilités, comme de s'habiller ou de ranger ses jouets. Cependant, soulignons que le sens des responsabilités n'a rien à voir avec l'obéissance servile ou avec la routine. Les parents doivent amener l'enfant à endosser leurs valeurs et à accepter le bien-fondé de ses responsabilités.

Si le parent désire que son enfant devienne responsable, il doit éviter de le surprotéger en réparant sa faute à sa place. Le petit brise une fenêtre du voisin ? Il doit s'excuser lui-même et la faire réparer en puisant dans ses économies. Cela peut paraître sévère, mais c'est très important pour qu'il apprenne à assumer ses responsabilités. Un enfant responsable n'est pas un enfant négligé ou laissé à lui-même. Au contraire, c'est un enfant qu'on guide, qu'on soutient, avec qui on discute et qu'on oriente à l'occasion. C'est un enfant que les parents accompagnent avec bienveillance, en valorisant ses bons coups et ses succès.

Pour devenir responsable, l'enfant doit pouvoir rompre ses liens de dépendance et dire au revoir au cocon douillet dans lequel il n'obtenait que des gains et du plaisir. Les parents doivent l'y encourager, car l'état de dépendance l'empêche d'agir pour obtenir satisfaction. En outre, ils doivent l'aider à développer sa conscience de la réalité et à faire des liens de cause à effet : « Vois-tu ce que tu as fait au mur en dessinant dessus ? », « Comprends-tu qu'en pinçant ton frère, tu lui as fait très mal ? » De plus, en confiant à l'enfant des responsabilités adaptées à ses capacités – et en les variant pour éviter la routine –, on lui permet de développer sa sensibilité sociale et de sortir de son égocentrisme. Un tout-petit à qui on demande de mettre les assiettes sur la table est très fier d'apporter sa contribution personnelle, tout comme ses parents le sont de le voir à l'œuvre. D'ailleurs, ceux-ci doivent le lui démontrer sans retenue.

Toutefois, on ne peut pas parler du sens des responsabilités sans parler d'abord d'autonomie. Et l'autonomie aussi comporte des préalables. De 18 mois à l'âge de 3 ans, l'enfant traverse sa première période d'affirmation. Il apprend à dire « non ! ». Cette période précède l'autonomie. En effet, l'enfant ne commence à être autonome que lorsqu'il est capable de passer du non au oui, c'est-à-dire capable de faire des choix. Pour cela, il doit être en mesure de s'affirmer et de rompre certains liens de dépendance avec son environnement. Cependant, comme le fait de choisir est, en soi, un acte autonome, cela doit être encouragé aussitôt que possible pour que l'enfant acquière le sens des responsabilités. En l'invitant à faire des choix, selon son âge et dans une structure donnée, les parents l'incitent à avoir une attitude autonome : « Tu choisis de faire tes devoirs avant ou après le souper ? » Si le jeune opte pour la deuxième possibilité, il doit en assumer les conséquences, bonnes ou mauvaises. Par exemple, s'il ne peut regarder son émission de télévision favorite parce qu'il a choisi de faire ses devoirs pendant qu'elle est diffusée, il doit comprendre que son entourage n'a pas à subir sa colère.

Aussi, le parent doit favoriser la persévérance chez son enfant. Par exemple, si un enfant choisit de s'inscrire à des cours de piano, mais qu'il n'excelle pas selon son ambition et qu'il veut déjà les interrompre après quelques leçons, le parent doit l'encourager à assumer les conséquences de son choix. L'enfant doit vivre cette expérience jusqu'à la fin, quitte à ne plus se réinscrire à ces cours. Un jeune qui abandonne une activité par manque de persévérance a tendance par la suite à la percevoir comme un échec personnel.

Pour développer chez l'enfant l'autonomie et le sens des responsabilités, le parent doit l'encourager à choisir certaines choses par lui-même et pour lui-même, mais aussi pour les autres. Être responsable, c'est aussi se dégager de son égocentrisme pour penser aux autres et collaborer au bien-être de la famille (aider au ménage de la maison, par exemple). Un enfant ne ressent pas du tout la même chose s'il aide ses parents parce qu'il l'a décidé lui-même ou si on l'oblige à le faire. Dans le premier cas, il est fier de lui et dans la deuxième situation, il vit de la frustration. Celle-ci n'est pas toujours néfaste. Elle met le jeune en contact avec le principe de réalité.

De façon générale, c'est à l'école que l'enfant assume ses premières responsabilités en dehors du milieu familial. Certains enfants sont moins préparés que d'autres pour affronter cette situation. Le fait de prendre ses responsabilités à l'école relève à la fois de la motivation et de l'autonomie. Pour y arriver, il faut un engagement personnel et la capacité de persister dans cette voie.

Il convient de reprendre ici certains éléments concernant la motivation et l'autonomie, en précisant leur rôle dans le développement du sens des responsabilités scolaires.

On peut définir la motivation comme la capacité d'anticiper un plaisir au cours d'une activité ou d'anticiper *l'utilité* de cette activité. C'est grâce à la motivation que l'enfant développe son autonomie et son engagement. Lorsqu'il est convaincu qu'une activité sera plaisante ou qu'elle lui sera utile dans la vie, il accepte volontiers d'y mettre des efforts et de prendre les moyens pour y exceller.

La motivation est directement influencée par les valeurs du milieu familial et elle apparaît bien avant de commencer l'école. Les parents qui ont peu d'activités intellectuelles (lecture, écriture, cinéma, théâtre, musique) trouvent difficile d'inciter leur enfant à en avoir. Cependant, lorsqu'arrive la période des travaux scolaires, ces parents doivent quand même aider leur enfant à en comprendre l'utilité et à prendre ses responsabilités. Dans le cas contraire, l'enfant rechigne à faire ses travaux, car il n'en perçoit pas le sens. Il les perçoit comme des exigences d'adultes et des sources de frustration.

La capacité de faire des choix et d'en accepter les conséquences, positives ou négatives, est à la base de l'autonomie et de la responsabilité. Ces aptitudes sont fondamentales dans le processus d'apprentissage et elles n'apparaissent pas soudainement et par magie. Faire des choix entraîne des risques et, surtout, oblige à renoncer à quelque chose. Cette contrainte est souvent source d'ambivalence, même chez les adultes. L'autonomie est essentielle pour responsabiliser l'élève ; elle suppose que celui-ci a déjà choisi de s'engager dans les activités scolaires. De plus, elle donne à l'enfant la capacité de choisir les moyens et les stratégies qu'il veut utiliser pour atteindre ses objectifs.

Un véritable apprentissage suppose que l'enfant comprend les liens logiques qui unissent la démarche et le résultat. Sur ce plan, les parents ont un grand rôle à jouer. En effet, ils doivent aider leur enfant à comprendre qu'un résultat (positif ou négatif) n'est pas magique et qu'il est plutôt la conséquence logique des stratégies utilisées et des attitudes adoptées (attention, motivation, autonomie, responsabilité).

Les parents doivent rassurer l'enfant en lui faisant comprendre qu'un résultat négatif ne remet en cause ni sa valeur personnelle ni son intelligence. L'enfant doit savoir qu'il a le pouvoir de transformer ses attitudes et ses stratégies, et que s'il a connu un échec, c'est qu'il n'était pas assez motivé ou qu'il n'avait pas utilisé les bons moyens pour réussir. S'il veut y arriver, il peut et *doit* modifier sa démarche. Grâce à cette prise de conscience, l'enfant finit par comprendre que les résultats qu'il obtient dépendent de son attitude et des moyens qu'il utilise. Il retire alors, en apprenant, un sentiment d'efficacité et de fierté.

L'enfant assume des responsabilités à l'école quand il sait qu'il peut modifier ses attitudes en trouvant les moyens d'y arriver. Il peut alors se dire qu'il a atteint de lui-même le résultat qu'il anticipait. La pensée magique ne favorise aucunement son sens des responsabilités. Si un jeune obtient 90 % lors d'un examen, mais que celui-ci était trop facile, il n'est pas valorisé. Il l'est encore moins s'il obtient 60 % à un autre examen, mais qu'il apprend que son enseignant lui a donné des notes gratuitement. Par contre, s'il obtient 75 % en étant conscient que ce résultat n'est le fruit ni de la magie ni du hasard, mais qu'il l'a mérité par ses attitudes et ses stratégies, alors il sentira sa responsabilité personnelle. Il en retirera un sentiment d'efficacité et de fierté personnelle.

Le principal signe démontrant qu'un enfant prend ses responsabilités à l'école, c'est quand il commence à planifier son travail et à choisir sa propre méthode. Devant un travail ou un examen à préparer, il montre que :

- il sait percevoir avec justesse l'objectif à atteindre ;
- il anticipe la succession des étapes à franchir pour réaliser le travail ou préparer l'examen ;
- il anticipe la durée ou le temps à consacrer à chacune des étapes, en fonction de l'échéance ;
- il anticipe des moyens ou des stratégies à utiliser au cours de chacune des étapes ;
- il anticipe un moyen pour évaluer l'atteinte de ses objectifs.

L'attitude des parents est très importante quand il s'agit d'inciter l'enfant à assumer ses responsabilités scolaires. Si l'activité qu'on lui propose est adaptée à ses capacités et s'il maîtrise les moyens ou les stratégies pour la réaliser, ses parents doivent lui signifier clairement que sa responsabilité consiste à la mener à terme. Ils doivent l'encourager à persévérer, c'est-à-dire à terminer l'activité malgré les difficultés. Si un enfant abandonne une tâche lorsqu'il se retrouve devant une difficulté, il en retirera un sentiment d'échec.

Les difficultés ne sont pas des limites et encore moins des handicaps : ce sont des défis à relever. En outre, elles sont nécessaires puisqu'elles permettent à l'enfant de faire le deuil de sa toute-puissance. Une fois qu'il a pris conscience de ses difficultés ou des points qu'il doit améliorer, les parents peuvent l'aider en lui suggérant des stratégies pour résoudre ses problèmes. Par ailleurs, afin qu'il sente sa responsabilité, ils doivent le féliciter lorsqu'il atteint ses objectifs, et souligner ses progrès dans ses apprentissages et son adaptation sociale.

Il est très important que les parents ne retirent pas à l'enfant ses responsabilités en excusant ses actes ou en reportant les torts sur l'école à la suite d'un échec. Certains parents veulent éviter que l'enfant se sente amoindri et justifient le manque de responsabilité de l'enfant en lui disant, par exemple : « Tu as de la difficulté parce que l'enseignante parle trop rapidement » ou « Tu as de la difficulté parce que ton enseignante crie en classe et que ça te rend nerveux ». En entendant ces commentaires, l'enfant risque de se dire : « Je vais attendre que les autres changent. »

On voit de plus en plus cette tendance qu'ont les parents de prendre la part des enfants ou de les excuser lorsqu'ils éprouvent des difficultés avec les enseignants. Ces derniers déplorent souvent le fait qu'il est plus difficile qu'autrefois d'établir des rapports de connivence et de collaboration avec les parents pour le bien des enfants. Beaucoup de parents se mettent sur la défensive ou refusent d'admettre tout tort chez leurs enfants. On peut relier cette attitude parentale à leur propre sentiment de culpabilité, à leur désir d'éviter que leur enfant vive du malaise ou se sente coupable, ou tout simplement à des conflits qu'ils ont eux-mêmes vécus à l'école et qu'ils n'ont jamais résolus. Nous avons constaté que la plupart des parents qui projettent tous les torts sur l'école ont vécu des difficultés d'adaptation ou d'apprentissage durant leur enfance.

Cette attitude parentale enlève à l'enfant le sens des responsabilités. Si les parents jugent, à tort ou à raison, que l'attitude, les gestes ou les paroles de l'enseignante sont inadéquats, qu'ils aillent en discuter avec elle au lieu de passer leurs jugements devant l'enfant. Il est plus profitable pour l'enfant que les parents lui disent : « Ton enseignante, tu ne peux pas la changer, mais toi, qu'est-ce que tu peux faire ? » Ils ont intérêt à faire réfléchir leur enfant sur ses attitudes (attention, motivation, autonomie, responsabilité) et sur ses stratégies, pour les modifier ou les améliorer, et à se rendre compte que chacun a du pouvoir sur soi, mais non sur les autres. Il est très important que les parents aident l'enfant à comprendre qu'il est le principal acteur de son apprentissage et qu'à cet effet, il a des choix personnels à faire. En parlant de la sorte, les parents signifient à l'enfant qu'il a la capacité de trouver des moyens de progresser, tout en lui redonnant sa responsabilité personnelle.

Pour qu'une expérience compte vraiment, il faut avoir l'occasion d'y réfléchir après coup afin de comprendre ce qu'elle nous a apporté. Si un enfant fait beaucoup d'essais et d'erreurs, mais que le parent ne l'aide pas à revenir sur ses expériences pour en tirer des leçons, il n'apprendra pas à faire des choix judicieux et à être responsable.

Il est inévitable et nécessaire que l'enfant fasse des erreurs quand il apprend. Ces erreurs lui permettent d'adapter ses stratégies et de trouver de nouveaux moyens de mener à bien ses travaux. Elles lui fournissent également l'occasion de s'évaluer, de corriger ses stratégies et de réfléchir sur la pertinence de ses choix.

Il est également important que l'enfant prenne conscience de ses erreurs, et ses parents peuvent l'aider à y arriver. Une telle prise de conscience lui enseigne à ne pas répéter ces erreurs. De plus, les correctifs apportés stimulent la souplesse et la mobilité de la pensée.

Souvent, par perfectionnisme ou par souci d'efficacité, les parents sont tentés de condamner les erreurs. Par conséquent, l'enfant n'ose plus faire de choix, de crainte de se tromper. Il est alors habité par la hantise de commettre une erreur et cela lui occasionne du stress, inhibe sa capacité d'autonomie, de même que sa créativité. Soulignons également qu'il est beaucoup plus facile pour un enfant d'accepter de faire des erreurs lorsqu'il constate que ses parents acceptent les leurs.

Consciemment ou non, nous sommes portés à maintenir notre enfant dans un état de dépendance, car qui dit « autonomie » dit aussi « éloignement ». Or, si nous souhaitons fournir à notre enfant les outils nécessaires pour réussir à l'école et dans la société, il faut d'abord l'aider à acquérir le sens des responsabilités. Ce n'est qu'en devenant un enfant responsable qu'il peut relever les défis qui l'attendent et, surtout, en être fier !

Voici **les principales attitudes parentales** que nous conseillons pour favoriser le sens des responsabilités chez l'enfant dans ses apprentissages scolaires :

- l'encourager à s'affirmer ;
- être ferme sur les points importants ;
- faire preuve de souplesse sur des points mineurs ;
- l'encourager, dans certaines limites, à faire des choix personnels ;
- l'aider à assumer les conséquences de ses choix ;
- l'encourager à trouver des moyens de s'adapter aux situations difficiles ;
- l'aider à persévérer dans ses efforts et à terminer ce qu'il a commencé ;

- lui confier des responsabilités adaptées à son âge;
- respecter son rythme d'apprentissage (en exerçant de la pression pour accélérer son apprentissage, on ne peut que provoquer du stress de performance et des échecs);
- proposer à l'enfant des défis à sa mesure;
- souligner régulièrement à l'enfant ses forces et reconnaître les efforts qu'il déploie;
- l'aider à voir l'utilité des activités qu'il entreprend, tant pour le plaisir qu'il peut en retirer que pour leur utilité concrète;
- encourager sa curiosité intellectuelle en répondant à ses questions et en l'amenant à faire des liens entre ce qu'il apprend en classe et ce qu'il observe dans la vie courante;
- susciter sa créativité pour qu'il éprouve du plaisir et prenne des initiatives;
- lui suggérer des stratégies plutôt que de lui imposer des méthodes établies;
- l'encourager à choisir ses propres moyens et stratégies pour arriver à ses fins;
- l'amener à comprendre qu'il est normal de faire des erreurs et que c'est même l'occasion de découvrir de nouveaux moyens de relever des défis;
- l'inciter à corriger lui-même ses erreurs;
- le soutenir dans l'acquisition d'une méthode de travail.

CHAPITRE 5

LA RESPONSABILITÉ EN ACTION

Il n'est pas nécessaire qu'une discipline soit contraignante et douloureuse pour être efficace. Ce qui importe, c'est qu'elle incite l'enfant à apprendre. Une discipline rigide et autoritaire tend plutôt à le rendre dépendant et conformiste, car il n'a pas l'occasion de développer son sens des responsabilités. À l'opposé, une discipline trop permissive insécurise l'enfant parce qu'elle le prive de points de repère et l'empêche d'intégrer certaines valeurs. Il faut donc tendre vers un équilibre entre ces deux attitudes opposées en adoptant une discipline incitative qui aide l'enfant à prendre des décisions éclairées sur son comportement.

Un enfant peut comprendre et assumer sa responsabilité personnelle si, au préalable, il a saisi les liens logiques qui unissent ses actions et ses paroles, ainsi que leurs conséquences sur les autres ou sur l'environnement. Nous avons vu au chapitre 1 que cette conscience des relations de cause à effet se développe depuis la petite enfance. Même si l'enfant est parvenu à une capacité de jugement logique et causal, le parent doit l'aider à prendre conscience de sa responsabilité dans la production d'un effet, particulièrement à la suite d'une situation conflictuelle.

Les conséquences

L'enfant transgresse parfois des règles ou des interdits, et cela est normal puisqu'il apprend le principe de la réalité durant son développement. Il fait parfois des erreurs de jugement, mais cela fait partie de la vie. Ce qui est important, c'est de l'aider à en prendre conscience et à en assumer les conséquences. On ne peut changer le passé ou les erreurs qu'un enfant a commises, mais tout parent doit l'aider à tirer des leçons de ces erreurs pour éviter le plus possible qu'elles se répètent. Un enfant devient plus responsable quand il comprend et assume les conséquences de ses gestes et de ses paroles. Le dictionnaire définit le mot « conséquence » comme « la suite qu'une action ou un fait entraîne ». Il y a un lien logique de cause à effet entre une action et son résultat. Si ce dernier est inacceptable, l'enfant doit en assumer la responsabilité. Ces attitudes parentales sont importantes pour permettre à l'enfant d'intégrer le sens de sa responsabilité par les conséquences :

- Discuter fréquemment avec l'enfant des diverses conséquences d'un comportement et non pas uniquement à la suite de ses écarts de conduite.
- Informer l'enfant des conséquences logiques qu'il devra assumer à la suite de chaque comportement inacceptable ou de la transgression d'une règle. Cette connaissance des conséquences permettra à l'enfant de faire des choix.
- Éviter d'utiliser les conséquences prévues comme des menaces, mais plutôt comme des suites logiques aux comportements.
- Il est souhaitable que le parent soit calme lorsqu'il montre à l'enfant la conséquence d'un comportement répréhensible. Si le parent est envahi par la colère quand il prescrit une conséquence, l'enfant aura tendance à ressentir l'émotion du parent plutôt qu'à comprendre la logique de son raisonnement.
- Le parent doit être constant quand il impose des conséquences. Cette constance permet à l'enfant de prévoir ce qui va lui arriver, sans surprise.

- Quand le parent impose une conséquence à son enfant, il doit ignorer ses protestations. Cela est beaucoup plus facile pour un parent convaincu du bien-fondé de la valeur qu'il veut transmettre et de la logique de la conséquence qu'il impose.
- Autant que possible, une conséquence doit être immédiate, ne pas durer longtemps et avoir un lien logique avec le comportement inadéquat.
- Si un enfant refuse d'assumer une conséquence, le parent doit le retirer temporairement pour protéger la relation ou lui imposer la perte d'un privilège que l'enfant pourra récupérer quand il se montrera responsable.
- Quand un enfant a subi la conséquence de ses gestes, il est inutile de le sermonner. Il est plus profitable de l'aider à comprendre la relation logique entre son écart de conduite et la conséquence subie.
- Quand l'enfant a subi la conséquence de ses actes, le parent doit souligner de façon positive son premier bon comportement, afin qu'il retrouve une image positive de lui-même.
- Nous recommandons vivement que le parent encourage son enfant à choisir lui-même une conséquence à son écart de conduite, du moins dès que l'enfant se montre capable de raisonnement logique, soit vers l'âge de 7 ou 8 ans. Quand l'enfant fait lui-même un choix, il montre qu'il a réellement compris sa responsabilité. Toutefois, il faut s'assurer que la conséquence qu'il s'impose n'est ni trop légère ni trop sévère. Les enfants ont souvent tendance à s'imposer des conséquences trop lourdes.
- Il va sans dire que toute conséquence doit être réaliste et adaptée à la capacité de l'enfant de l'exécuter.

Quelques conseils pratiques

Pour formuler des conseils pratiques, nous avons fait une petite enquête auprès d'un groupe de parents dont l'âge des enfants se situait entre la petite enfance et 12 ans. Nous leur avons demandé de faire la liste des comportements qu'ils jugent répréhensibles à la maison, ainsi que les valeurs en cause. Nous avons constaté que beaucoup de comportements inadéquats découlent du fait que les parents n'imposent pas une saine discipline à leurs enfants.

Pensons à l'enfant qui monopolise l'ordinateur ou le téléviseur à la maison. Les parents ont la responsabilité de limiter l'utilisation de ces appareils. Rares sont les enfants qui, d'eux-mêmes, réduisent le temps passé devant l'écran pour laisser les autres membres de la famille en profiter. Des parents rapportent également que leurs enfants adoptent parfois des comportements menaçants : par exemple, ils vont jusqu'à infliger des blessures aux autres en leur donnant des coups et en leur lançant des objets.

Les valeurs fondamentales des parents sont souvent le respect, l'hygiène et la sécurité. Certains s'inquiètent de voir à quel point leurs enfants ne prennent pas soin des objets qui les entourent. Ils se disent vigilants par rapport à certains objets qu'ils trouvent dangereux. Cette inquiétude se manifeste clairement dans le fait qu'on trouve sur le marché beaucoup de produits servant à verrouiller des portes d'armoires ou à éliminer des sources de danger.

Vous trouverez, plus loin, des exemples de comportements que la plupart des parents jugent répréhensibles. Chacun de ces comportements se voit attribuer une valeur et une conséquence logique, parmi l'une des trois formes suivantes : naturelle, par réparation, par soustraction. Voici une courte explication de chacune :

- Conséquence logique ***naturelle***: c'est la plus simple et la plus facile à comprendre. Elle est reliée logiquement au comportement inadéquat. Par exemple, un enfant salit le plancher avec ses chaussures boueuses. Comme conséquence logique et naturelle de son geste, il devra essuyer ou laver la partie du plancher qu'il a salie. Voilà une forme de conséquence logique, que les enfants peuvent habituellement comprendre dès l'âge de 3 ans.
- Conséquence logique **par réparation** : la réparation permet de compenser le tort fait à la victime d'une agression. Elle vise aussi à rétablir chez l'agresseur une image positive de lui-même. Elle a pour objectif de développer chez l'enfant la discipline et le sens des responsabilités. Elle incite à utiliser un geste pour corriger une erreur ou pour compenser un préjudice fait à l'autre.

Par exemple, un enfant humilie un camarade en le traitant de « stupide ». Un geste réparateur consisterait à obliger l'enfant coupable à désigner une qualité de sa victime et à s'excuser auprès d'elle.

Diane Chelsom-Gossen[1] a décrit les caractéristiques d'une réparation. Les voici reprises, de façon succincte :

- A un lien logique avec l'erreur commise.
- Est reliée à une valeur importante, familiale ou sociale.
- Vise à compenser un tort.
- Impose un effort raisonnable de la part du fautif.
- Vise l'apprentissage de comportements positifs.
- Cherche à éliminer la répétition des erreurs.
- Vise l'apprentissage de l'autodiscipline et du sens des responsabilités.

1. D. Chelsom-Gossen. *La réparation : pour une restructuration de la discipline à l'école*. Montréal : Éditions Chenelière/McGraw-Hill, 1997.

- Conséquence logique **par soustraction** : elle est pertinente quand un enfant perturbe un groupe ou une activité et que, malgré les interventions et le soutien de l'adulte, l'enfant continue à déranger. On le retire alors du groupe ou de l'activité. Cette forme de conséquence est assez populaire, car après les écarts de conduite des enfants, la majorité des parents ont tendance à leur enlever un privilège ou à restreindre leur liberté. Cette forme de conséquence est bénéfique si on aide l'enfant à s'apercevoir que le retrait d'une activité ou d'un privilège survient parce qu'il n'a pas assumé ses responsabilités envers les autres, et qu'il peut racheter un privilège ou réintégrer une activité s'il se montre responsable.

  La conséquence par soustraction est parfois inévitable pour stopper un comportement perturbateur d'un enfant, pour le protéger et réintroduire l'harmonie dans un groupe. On l'utilise pour permettre à l'enfant de prendre une distance par rapport à une situation conflictuelle, de s'arrêter pour se détendre et d'être prêt à réfléchir à sa responsabilité. Ainsi, elle fournit à l'enfant l'occasion de prendre conscience de ses actes et de mieux juger son comportement. On doit utiliser cette forme de conséquence de façon très sélective, après avoir échoué dans les autres interventions. Utilisée trop fréquemment, elle risque d'étiqueter l'enfant ou d'alimenter une image négative de lui-même.

Les quelques exemples qui se trouvent dans le tableau suivant aident à comprendre la logique des conséquences de certains comportements. Soulignons qu'on ne doit pas voir ce type de conséquences comme des recettes miracles. Nous nous fions au jugement des parents pour adapter ces conséquences selon les capacités et le niveau de développement des enfants.

Voici donc quelques exemples de comportements répréhensibles et leurs conséquences :

Comportement	*Valeur en cause*	*Conséquence logique et naturelle*	*Conséquence logique par réparation*	*Conséquence logique par soustraction*
Courir dans la maison	Sécurité	Arrêter l'enfant et lui faire exercer la marche		
Crier sans raison dans la maison	Respect des autres			Retirer l'enfant dans une pièce où les cris n'importunent personne
Crier dans un endroit public	Respect des autres			Quitter les lieux
Briser un jouet	Respect des autres	Priver l'enfant du jouet sans en acheter un autre semblable		
Dire des mots blessants à une personne	Respect des autres		Faire un geste positif ou dire quelque chose de gentil à la personne. S'excuser.	
Laisser des objets éparpillés sur le plancher	Sécurité	Ranger les objets avant d'entreprendre toute autre activité		
Sortir de la cour sans permission	Sécurité			Jouer à l'intérieur de la maison pendant un certain temps
Refus de manger au repas	Santé	Pas de collation jusqu'au prochain repas		

(…)

Comportement	*Valeur en cause*	*Conséquence logique et naturelle*	*Conséquence logique par réparation*	*Conséquence logique par soustraction*
Briser la production d'un autre	Respect de l'autre		Ramasser le dégât et refaire la production	
Briser l'objet d'un autre	Respect de l'autre		Payer le prix de l'objet ou le remplacer	
Barbouiller un mur avec un crayon	Respect de l'environnement	Laver le mur		
Arriver en retard au repas	Ponctualité	Manger plus tard et seul si les autres ont quitté la table		

Par exemple, si un enfant de 3 ans dit un mot blessant à quelqu'un, il est fort possible qu'il ne comprenne pas la signification de l'injure, mais il sait qu'elle fait réagir l'entourage. Ainsi, lui imposer de faire un geste positif ou de dire quelque chose de gentil à la personne qu'il a injuriée ne constitue probablement pas une conséquence pertinente, alors que l'enfant ne connaît même pas le sens du mot blessant. Toutefois, le parent doit lui signifier clairement que ce mot est inacceptable. Il peut être profitable de demander à un enfant de s'excuser si le parent protège son amour-propre et s'assure que l'enfant ne s'en trouvera pas humilié.

Il est très important de comprendre qu'une conséquence imposée à l'enfant après une transgression doit s'accompagner chez le parent d'un effort pour comprendre la raison qui sous-tend l'action répréhensible. Cela suppose que le parent a de l'empathie, ce mode de connaissance fondé sur l'intuition et sur une attitude de compréhension, de respect et d'acceptation de l'autre. Grâce à sa capacité d'empathie, ainsi qu'à une connaissance profonde de son enfant jusque dans ses comportements non verbaux, le parent est capable de décoder le sentiment ou le besoin derrière le comportement répréhensible et l'exprime à sa place: «Ça te fâche quand je te dis de te dépêcher et c'est pour cela que tu étais lent.» ou «Tu deviens nerveux quand il y a quelque chose de nouveau, c'est pour cela que tu étais agité.» Ainsi, l'enfant prend conscience de ce qui se passe vraiment, il se sent compris et il apprend à manifester adéquatement son besoin ou son sentiment. Le parent doit reconnaître que tous les besoins et sentiments sont légitimes et rassurer l'enfant sur le fait qu'il est normal de les ressentir, mais qu'il faut également les exprimer de façon adaptée, plutôt que de transgresser les règles.

Ainsi, il est très important de ne pas se limiter aux conséquences. Par exemple, une mère nous racontait que chaque fois que son fils de 9 ans revenait à la maison après l'école, il franchissait la porte en criant et en lançant son sac dans la pièce. Ce comportement se répéta plusieurs jours de suite. Chaque fois, la mère était en colère et l'envoyait dans sa chambre en lui disant de réfléchir (conséquence logique par soustraction). Or, rares sont les enfants qui réfléchissent dans leur chambre après une bêtise. Quelques minutes plus tard, la mère lui permettait de sortir, mais sans reparler de la situation. Un jour, elle entendit son fils pleurer dans sa chambre. La mère fut troublée et se demanda enfin pourquoi son enfant criait et lançait son sac d'école quand il arrivait à la maison. Elle rejoignit son fils, le consola et, en conversant avec lui, elle sentit qu'il cherchait à attirer son attention et qu'il avait besoin de dépenser son trop-plein d'énergie. Elle lui communiqua son intuition et le garçon approuva d'un signe de tête. Par la suite, dès que son fils franchissait le seuil de la porte, elle s'informait de sa journée et lui offrait une collation suivie d'une période de défoulement physique à l'extérieur. Son comportement répréhensible cessa immédiatement, ce qui n'aurait pas été le cas si la mère avait continué à se limiter à la conséquence.

À partir de l'âge de 7 ou 8 ans, quand il a acquis la pensée logique et causale, l'enfant tire encore plus profit de l'aide qu'on lui apporte pour prendre conscience des sentiments ou des besoins qui le portent à faire des gestes répréhensibles. C'est ainsi qu'il finit par agir de façon responsable et adaptée, tout en exprimant ses sentiments et ses besoins. Le parent doit faire suffisamment confiance à son intuition pour aider l'enfant à comprendre ce qui sous-tend ses gestes, que cela soit agréable ou non. Cette prise de conscience peut se faire verbalement ou par des dessins ou des jeux symboliques. Peu à peu, l'enfant en arrive à établir des liens de causes à effets entre ses comportements et ses besoins ou sentiments. Plus un enfant est conscient de cela, plus il s'exprime adéquatement, moins il transgresse des règles établies et plus il devient responsable.

Éviter les étiquettes

Quand on réprimande un enfant ou qu'on lui montre la conséquence de ses actes, il faut éviter les mots blessants et les jugements négatifs qui donnent une étiquette à l'enfant. Une telle attitude du parent annule l'effet bénéfique d'une prise de conscience des conséquences des gestes posés. L'enfant retient davantage les propos négatifs et l'émotion qui les accompagne. Nous savons que l'éducation reçue par la majorité des parents d'aujourd'hui se caractérise, notamment, par la recherche des lacunes et des fautes. Elle a été largement conditionnée par des messages négatifs qui empêchaient souvent les parents de voir le bon côté des choses et de souligner les gestes positifs de leurs enfants. Cette éducation a donné aux parents des réflexes qui se sont ancrés et qui se manifestent par des étiquettes ou des remarques comme « il ne marche toujours pas à un an, il est passif », ou « elle ne connaît pas son alphabet après des mois de pratique, elle est sûrement dyslexique » ou « il s'oppose à tout, il est têtu » ou « elle ne range jamais sa chambre, elle est paresseuse ». Les « toujours » et les « jamais » rendent les enfants impuissants, enfermés dans des catégories, ce qui nuit à leur évolution. De tels messages négatifs, quand ils sont fréquents, contraignent les enfants à se définir par ce qu'ils ne sont pas et par ce qui leur manque, au lieu de se connaître pour ce qu'ils sont.

En quoi consiste une étiquette ? C'est une forme de classification qui limite un enfant dans une catégorie déterminée. Par exemple, nous retrouvons souvent l'étiquette « hyperactivité » pour désigner un enfant qui bouge plus que la moyenne. Cet enfant est-il réellement hyperactif ? Permettez-nous d'en douter, du moins pour plusieurs des enfants que nous connaissons. Si on se fiait à ces étiquettes, souvent gratuites, la moitié d'une population serait susceptible d'être diagnostiquée comme étant hyperactive. Un tel diagnostic doit être posé par un médecin et non par monsieur ou madame Tout-le-monde.

Malheureusement, les étiquettes ne se limitent pas au problème d'hyperactivité, car plusieurs autres sont répandues dans le monde de l'éducation.

Certaines de ces étiquettes ne manquent pas d'originalité par leurs appellations. Pensons d'abord à « l'enfant-téflon », qui résiste à tout. Serait-il possible que cet enfant ne soit tout simplement pas motivé par ce qu'on lui propose de faire ou que la relation avec ses parents soit conflictuelle ? Autre étiquette : celle de « l'enfant-roi » qui, en réalité, est un enfant mal éduqué, à qui on a donné trop de pouvoir. Cet enfant ne se ferait-il pas donner cette étiquette parce que ses parents ne lui imposent aucune limite ?

À quoi servent ces étiquettes ? Certains parents qui se sentent impuissants désirent avoir des réponses à leurs questions et voient l'étiquette comme une réponse commode. Les enseignants et les éducateurs ont aussi tendance à trop utiliser ces étiquettes pour catégoriser des enfants en difficulté. Souvent, ces enseignants et éducateurs pressent les parents d'entreprendre des démarches pour diagnostiquer l'enfant. Peu importe si ce dernier reçoit ou non un diagnostic, il est surtout un enfant ayant des besoins que les parents doivent combler.

Les étiquettes qu'on appose trop facilement sur les enfants proviennent souvent de l'effet Pygmalion, dont les parents et la plupart des enseignants ne sont pas conscients. Il s'agit d'une légende à propos d'un sculpteur grec qui devint amoureux d'une de ses propres statues représentant une femme d'une grande beauté. Pour soulager Pygmalion, la déesse Aphrodite donna vie à sa statue. Dans cette légende, il est question d'attentes et de désir de la part du sculpteur.

Les chercheurs Rosenthal et Jacobson mirent au jour ce que nous appelons « l'effet Pygmalion », selon lequel les attentes d'un éducateur envers ses élèves peuvent être telles que celui-ci finit par exercer une influence considérable sur ceux dont il a la charge. En ce sens, la nature et l'intensité de l'investissement varient chez l'éducateur selon ses préjugés, favorables ou défavorables. C'est un phénomène où la prévision de l'adulte modifie le comportement de celui-ci, de sorte qu'elle augmente la probabilité que l'événement se produise. C'est en fait une espèce de prophétie qui se concrétise simplement parce qu'elle a été faite.

Les éducateurs, les enseignants ou les parents mettent des étiquettes aux enfants et tendent inconsciemment à ce que ces étiquettes se concrétisent dans leurs comportements. Lorsque les attentes envers nous sont positives, nous avons tendance à être plus sympathiques et nous adoptons des comportements plus amicaux, tandis que nous manifestons des comportements opposés lorsque les attentes envers nous sont négatives.

Il s'agit toutefois de tendances et non de règles absolues. Beaucoup d'enfants souffrent d'étiquettes souvent générées par l'effet Pygmalion. Prenons l'exemple de cet enfant de 6 ans qui n'assume pas les responsabilités qu'on lui confie à la maison. Si ses parents communiquent cette information à l'enseignante, celle-ci pourrait être contaminée à son tour par l'effet Pygmalion et avoir de faibles attentes envers le jeune garçon. En réalité, l'effet Pygmalion peut s'apparenter à une forme persistante de préjugé et d'étiquetage. Chaque enfant a droit d'être lui-même.

Au cours de nos rencontres avec les parents, nous nous sommes aperçus qu'il est beaucoup plus constructif et profitable de parler des besoins de développement de leurs enfants plutôt que de les décourager avec des jugements négatifs ou des étiquettes. Celles-ci créent une forme de déterminisme et sapent l'espoir des parents. Ces derniers sont plus réconfortés en satisfaisant les besoins de développement de leurs enfants qu'en subissant des étiquettes. Par exemple, au lieu de poser l'étiquette « enfant violent », il est plus avantageux pour les parents qu'on leur dise que leur enfant « a besoin d'apprendre à résoudre des conflits ». Voici d'autres exemples :

Étiquette	**Ce qu'il faudrait dire**
Anxieux	Besoin de sécurité
Dépendant	Besoin de développer de l'autonomie
Dyslexique	Besoin de succès en lecture
Hyperactif	Besoin d'apprendre à adapter son expression motrice selon les situations
Impulsif	Besoin d'apprendre à freiner ses gestes
Indiscipliné	Besoin de limites
Inhibé	Besoin de s'exprimer
Isolé	Besoin d'apprendre à socialiser
Paresseux	Besoin de motivation
Rejeté	Besoin d'apprendre des habiletés sociales

Il nous semble important de préciser que chaque difficulté de comportement chez un enfant peut être reliée à plusieurs besoins non comblés. L'empathie du parent doit se manifester pour décoder le besoin qui sous-tend la difficulté de l'enfant. Selon notre expérience, quand le parent discerne un besoin de limites chez son enfant qu'on a étiqueté « indiscipliné » et qu'il satisfait ce besoin par ses attitudes et ses moyens, l'indiscipline de l'enfant fond comme neige au soleil. Le parent a de l'espoir quand on lui parle de besoins, plutôt que de lui émettre un jugement négatif ou de donner une étiquette à son enfant. Satisfaire les besoins de développement chez un enfant est une responsabilité parentale.

Cinq exemples types

Voici cinq exemples de situations de la vie quotidienne que des parents nous ont rapportés. Ces exemples montrent comment les conséquences logiques peuvent développer le sens des responsabilités chez les enfants.

Premier exemple – La morsure

Médéric, 3 ans, aime le jus d'orange. Après en avoir bu un verre, il en redemande. Or, sa requête ressemble drôlement à un ordre. Sa mère lui refuse donc un deuxième verre en lui disant qu'un seul suffit. Alors, Médéric la mord ! Il s'agit là d'une frustration chez un enfant qui réagit en mordant. La valeur en cause dans cette situation est le respect de l'autre. Un enfant de cet âge ne comprend pas ce concept, trop abstrait pour lui. Toutefois, il peut saisir concrètement qu'il est absolument interdit de mordre. La maman doit réagir immédiatement en exprimant clairement sa colère. Elle lui fera prendre conscience de la conséquence de son geste : « Regarde mes yeux, je suis fâchée ! » Elle verbalisera ensuite la valeur du respect, de façon implicite, en imposant la règle suivante : « Je ne veux pas qu'on se fasse mal dans notre famille ».

Immédiatement après ces propos fermes, elle isolera l'enfant en lui disant : « Je n'ai plus le goût de te parler, je suis trop en colère ! » Le retrait temporaire de l'enfant permet à ce dernier, ainsi qu'à la mère, de prendre une distance par rapport à la situation et de protéger la relation. Ce retrait devrait durer quelques minutes. Par la suite, en guise de conséquence par réparation, la mère tendra à l'enfant une petite serviette et lui demandera de l'appliquer sur son bras meurtri. Quelques minutes plus tard, elle le félicitera pour son premier geste positif afin qu'il retrouve une bonne image de lui-même.

Si ce comportement persiste, il sera opportun de songer à la prévention. Le parent doit faire preuve d'empathie pour décoder le besoin qui sous-tend cette propension à mordre. Un tel comportement peut avoir diverses causes : retard de langage, faible tolérance à la frustration, manque de moyens pour s'exprimer, etc. Pour en savoir plus sur ce phénomène chez les enfants, ainsi que sur les moyens pertinents d'y remédier, nous conseillons aux parents de consulter le chapitre qui traite de cette question dans un livre de Sylvie Bourcier[2].

Deuxième exemple – Les jouets

Audrey, 5 ans, aime jouer. Elle sort ses poupées, passe ensuite aux casse-tête, empile des blocs, enfile des perles, etc. Au bout d'une vingtaine de minutes, le salon ressemble à un territoire bombardé. Son père lui demande de ranger ce qui traîne, mais l'enfant ne réagit pas. Il répète sa demande et finit par se fâcher contre sa fille.

La valeur en cause dans cet exemple est la sécurité. En effet, des objets éparpillés sur le plancher du salon peuvent faire trébucher les gens. Dans cette situation, le père répète sa demande, ce qui est la tendance chez de nombreux parents qui croient naïvement au pouvoir de la persuasion verbale. Or, quand ils sont en pleine exécution d'une action répréhensible, la majorité des enfants sont sourds aux paroles des parents.

---

2. S. Bourcier. « Mordre dans l'ami à pleines dents ». *Comprendre et guider le jeune enfant : À la maison, à la garderie*. Montréal : Éditions de l'Hôpital Sainte-Justine, 2004.

Dans notre exemple, il serait profitable que le père prévienne le désordre de sa fille. Par exemple, quand il constate que la petite sort de plus en plus de jouets, il peut lui dire: « Plus tu sortiras de jouets, plus ça te prendra du temps à les ranger. » Audrey anticiperait ainsi la conséquence de son comportement et pourrait faire un choix: cesser son désordre ou en accepter les conséquences.

Si, malgré cette intervention préventive, l'enfant reste dans le désordre, le père lui imposera une conséquence logique et naturelle, prévue d'avance, soit de ranger les jouets avant de faire toute autre activité. Il est également important que le père revienne sur la situation pour que la petite comprenne la valeur de la sécurité.

Troisième exemple – Les devoirs

Alicia, 9 ans, a de la difficulté à l'école et la période des devoirs à la maison s'avère pénible. Il s'agit souvent du moment où surgissent les conflits entre Alicia et ses parents. La fillette ne fait pas ses devoirs à heures fixes; elle les fait avant, pendant ou même après ses émissions de télé préférées. Ses parents sont découragés devant le manque de motivation de leur fille.

En premier lieu, il est important que les parents comprennent qu'il n'est pas surprenant qu'Alicia soit si peu motivée pour les devoirs alors qu'elle éprouve de la difficulté à l'école. Dans son cas, il s'agit de voir si la fillette éprouve de la difficulté parce qu'elle n'est pas motivée ou si, au contraire, ce sont ses difficultés et ses échecs qui lui enlèvent sa motivation.

La valeur en cause dans cette situation est la responsabilité scolaire. Il faut savoir que la responsabilité des devoirs et des leçons à la maison est tripartite. D'abord, l'enseignante a la responsabilité de bien faire comprendre à l'élève ses consignes et ses exigences. Elle doit dire clairement que les travaux scolaires à la maison se rapportent à ce qui a été appris en classe. Ensuite, les parents ont la responsabilité de soutenir l'enfant pour qu'il fasse ses devoirs dans un temps et un lieu adéquats, et pour qu'il révise ses mots de vocabulaire, ses tables d'addition, etc. Enfin, l'enfant a la responsabilité principale, qui consiste à bien étudier ses leçons et à faire ses devoirs, pour les remettre ensuite à l'enseignante.

Les devoirs et les leçons sont avant tout une responsabilité que l'enseignante confie à l'élève. Ce dernier doit en être conscient. Ainsi, les parents n'ont pas à tolérer l'opposition ou l'agressivité d'Alicia pour une responsabilité qu'ils ne lui ont pas confiée. Si la fillette est si peu motivée pour les devoirs et qu'elle refuse de les faire, ses parents lui diront clairement qu'elle doit en rendre compte à son enseignante, car c'est celle-ci qui lui a imposé la responsabilité. Les parents ne doivent donc pas surprotéger Alicia en assumant cette responsabilité à sa place. Il est plus opportun qu'ils l'aident à faire des choix personnels, en sachant d'avance quelles en sont les conséquences pour chacun.

Par exemple, au point de vue du temps, si Alicia effectue ses travaux avant le souper, elle sera libre toute la soirée, ce qui est une conséquence positive; cependant, elle ne pourra pas jouer dehors, ce qui est une conséquence négative. Si, au contraire, elle fait ses devoirs après le souper, elle pourra jouer dehors, comme elle aime le faire, ce qui est une conséquence positive, mais elle devra se priver d'émissions de télé, ce qui est une conséquence négative. Enfin, si Alicia choisit d'effectuer ses travaux avant de se coucher, elle pourra jouer dehors et regarder la télé, ce qui est une conséquence positive, mais alors elle sera fatiguée et impatiente, conséquence bien négative pour tout le monde...

Les parents doivent aider leur fille à prendre conscience de ces choix possibles et des conséquences qu'ils entraînent. Par la suite, ils devront l'encourager à mettre en pratique sa décision.

Quatrième exemple – Le centre commercial

Maximilien, 7 ans, adopte souvent un comportement colérique. Au centre commercial, lorsqu'il désire quelque chose et qu'il se heurte à une réponse négative de la part de ses parents, il leur pique une crise. Il hurle, lance des objets et frappe les murs et les portes. Cela fait régulièrement plier ses parents, qui sont conscients des regards désapprobateurs des autres clients et qui se sentent impuissants devant un tel comportement.

Lorsqu'un enfant répète souvent un même comportement, c'est que ce dernier lui est profitable. Consciemment ou non, il obtient un gain grâce à son comportement répétitif. Dans notre exemple, Maximilien gagne puisque ses parents plient. Ces derniers doivent régler le problème.

Dans une telle situation, la valeur en cause est le respect des autres. Pour renverser la vapeur, ils doivent avertir leur fils que désormais, à la moindre crise ils le sortiront du centre commercial. C'est là une conséquence logique, par soustraction d'un privilège. Cette prise de position des parents permet à l'enfant d'anticiper leurs réactions et de faire un choix: maîtriser sa colère ou sortir. Les parents doivent s'attendre à ce que leur fils tente de mettre leur décision à l'épreuve.

Ainsi, une fois la famille à nouveau dans les magasins, Maximilien demandera qu'on lui achète une figurine pour ajouter à sa collection. Les parents refuseront et, comme d'habitude, l'enfant se mettra à hurler. L'un des deux parents devra alors le sortir immédiatement du magasin, *manu militari* s'il le faut, en prenant soin de ne pas le blesser ou qu'il blesse les autres. Pendant ce temps, les autres membres de la famille continueront de faire leurs courses. Une fois à la maison, le parent fera en sorte que Maximilien n'obtienne aucun privilège, par exemple regarder la télé ou jouer dans sa chambre.

Dans le cas d'une famille monoparentale, si Maximilien fait une crise, c'est toute la famille qui quittera le magasin et reprendra plus tard les courses interrompues, dans un moment qui devait être consacré aux loisirs de Maximilien. C'est là une attitude qui peut paraître sévère, mais qui aidera le garçon à faire le deuil de sa toute-puissance. La clé du succès est la constance des parents envers la conséquence. Il est très important qu'ils fassent un retour avec Maximilien sur l'importance du respect des autres, tout en lui suggérant des façons acceptables de faire ses demandes. Plus tard, quand Maximilien se comportera mieux au centre commercial, les parents lui diront qu'ils sont fiers de lui.

Cinquième exemple – La chambre

Jonathan, 11 ans, aime faire les choses à sa guise. Cependant, le ménage de sa chambre est souvent une occasion de disputes avec ses parents. Ces derniers trouvent que la chambre n'est pas en ordre, alors que Jonathan pense le contraire. Chacun reste sur ses positions et les disputes se multiplient. Jonathan considère les demandes de ses parents comme des ordres, alors que ceux-ci voient l'inaction de Jonathan comme de l'obstination, voire de la rébellion.

C'est là une situation que les parents rapportent souvent et qui les exaspère. La valeur en cause dans cette situation est l'hygiène. Dans le cas où Jonathan ferait du désordre dans des pièces communes à toute la famille, comme le salon, la cuisine ou les toilettes, ce serait le respect des autres qui serait en cause. Cependant, sa chambre est son espace personnel et intime. Les parents doivent donc réduire leur perfectionnisme et se demander si une chambre en ordre a une telle importance que cela vaille la peine de brouiller la relation avec leur fils. Ils doivent comprendre que c'est uniquement Jonathan qui subit les conséquences de son désordre quand, par exemple, il ne retrouve pas un objet. Si les parents sont excédés, ils n'ont qu'à fermer la porte et y apposer une pancarte où on lira « zone sinistrée ».

Bien sûr, les parents peuvent et doivent accorder de l'importance à l'hygiène et à la salubrité. Par exemple, ils interdiront à Jonathan d'abandonner des serviettes humides sur le plancher de sa chambre ou des restes de pizza sur un meuble, etc. Ils conviendront avec lui que ses vêtements ne seront lavés que s'ils sont déposés dans le panier prévu à cet effet. L'hygiène est une valeur que les jeunes comprennent et admettent facilement.

Chapitre 6

Confier des responsabilités aux enfants

▼

La problématique de la responsabilité chez les enfants d'aujourd'hui

Qu'en est-il aujourd'hui du sens des responsabilités chez les enfants? Voilà une question qui intéresse au plus haut point tous les adultes qui gravitent autour des enfants. La réponse est à la fois simple et complexe. D'abord, il faut constater que les enfants aiment assumer des responsabilités dès leur très jeune âge. Cependant, ils ont tendance à les fuir quelques années plus tard ou ils exigent souvent une rémunération en échange. Notre objectif consiste à suggérer des pistes de réflexion et de solution afin de permettre aux jeunes de grandir tout en développant leur sens des responsabilités.

En ouvrant la télévision ou en lisant le journal, on se rend compte rapidement qu'il est très souvent question de responsabilité. Des expressions comme: « Qui était la personne responsable? » ou bien « Était-il responsable? » sont omniprésentes. Le concept de responsabilité touche un peu tout le monde. Au travail, à la maison, dans nombre de sphères de nos vies, et autant chez les adultes que chez les enfants, la question du sens des responsabilités est très fréquemment posée. Cela fait partie de nos vies. Comment bien composer avec cette notion de responsabilité? Quand l'adulte d'aujourd'hui a-t-il commencé à être responsable et comment l'adulte de demain le sera-t-il? Voici des questions que nous voulons aborder dans les pages qui suivent.

Droits et responsabilités sont liés

Un certain nombre d'ouvrages et recherches ont été consacrés à la question des responsabilités chez les enfants, en particulier par des chercheurs américains. Cette question trouve également un certain écho chez les chercheurs français qui l'associent étroitement à celle des droits des enfants. Lier responsabilités et droits s'avère fort judicieux. Même l'enfant peut rapidement concevoir que les droits et les libertés sont rattachés aux responsabilités.

La Convention internationale des droits de l'enfant qui a été adoptée en 1989 stipule à l'article 29 que « les États parties conviennent que l'éducation de l'enfant doit viser à préparer l'enfant à **assumer les responsabilités** de la vie dans une société libre, dans un esprit de compréhension, de paix, de tolérance, d'égalité entre les sexes et d'amitié entre tous les peuples… »

Cette convention, dont l'objectif premier était de légiférer en termes de droits des enfants, s'est inscrite dans un contexte où de nombreux enfants devaient notamment s'acquitter de travaux qui ressemblaient à de l'esclavage. Elle a marqué un pas en avant important sans pour autant régler en totalité la question du travail des enfants.

Les droits des enfants, quels sont-ils ? Il s'agit d'abord concrètement du droit à l'éducation, c'est-à-dire du droit de fréquenter le système scolaire, du droit d'avoir des chances égales, que l'enfant soit un garçon ou une fille et quelle que soit son origine ethnique, du droit aux loisirs, à un temps de repos, de jeu et de vacances. Cela veut dire aussi le droit à la santé, car tous les enfants ont le droit de manger à leur faim et d'avoir des soins convenables (vaccination, hygiène, soins hospitaliers, etc.). Les enfants ont également le droit d'être bien traités, ce qui implique le rejet de toute exclusion, de tout abus, négligence, exploitation sexuelle et économique. Enfin, les enfants ont droit à la justice, ils ont le droit d'être traités et écoutés de façon juste et équitable.

Quant aux responsabilités que l'enfant doit assumer afin de bien s'intégrer à la société et de prendre plus tard une place de citoyen modèle, rappelons que l'article 29 de la Convention prévoit que l'éducation doit favoriser chez l'enfant l'adoption du sens des responsabilités. Tout cela, dans le respect de valeurs comme la compréhension, la paix, la tolérance, l'égalité entre les sexes et l'amitié entre les peuples.

Un petit survol historique : l'exemple du Québec

Comme toutes les sociétés occidentales, le Québec a bien changé depuis 50 ans. Les changements sont facilement perceptibles par rapport à des questions comme les naissances, les divorces, l'espérance de vie et la composition des familles. Les données qui suivent sont tirées des travaux de l'Institut de la statistique du Québec.

Au Québec, le nombre de naissances a fondu du quart durant les années 1990, passant de 98 000 en 1990 à 74 000 en 1999. En comparaison, au cours des années 1957 à 1959, les naissances se chiffraient à 144 000 par année.

La famille d'aujourd'hui compte moins d'enfants qu'auparavant et, de façon générale, le temps disponible pour la vie familiale est moindre. Désirant le consacrer à des activités familiales, les parents oublient souvent de donner aux enfants des tâches à accomplir. Ils se chargent eux-mêmes de toutes les tâches, voulant souvent éviter des négociations interminables avec leurs enfants. On constate ainsi un problème de discipline et de responsabilité. Il y a là peut-être une lacune importante qui prive les jeunes d'un bel apprentissage.

La famille d'aujourd'hui

La famille d'aujourd'hui se définit par la présence de liens d'alliance ou de descendance; elle est constituée d'un couple marié ou non, avec ou sans enfants à la maison, ou elle est constituée d'une personne sans conjoint vivant avec un ou plusieurs de ses enfants.

Quelques chiffres nous indiquent que:

- près de la moitié des 1 950 000 familles recensées en 1996 sont formées d'un couple avec des enfants de moins de 25 ans;
- 38 % des couples n'ont pas d'enfant;
- 12 % de parents seuls avec des enfants;
- 3 % de parents seuls avec au moins un enfant de plus de 25 ans.

L'indice de fécondité passe de 3,1 en 1965 à 2,1 en 1970. Il se maintient à 1,7 enfant par femme de 1973 à 1979. Les dernières données indiquent un indice de 1,5 enfant de 1997 à 1999. Cette donnée doit être prise en considération. En effet, la distribution des responsabilités ne se fera pas de la même façon dans une famille qui compte cinq enfants et dans une autre qui n'en compte qu'un seul. Les besoins familiaux sont également fort différents. N'oublions pas également que l'enfant unique n'a pas de modèle sur lequel se baser comparativement aux enfants de famille nombreuse où l'aîné a plus souvent qu'autrement pavé la voie.

De 1981 à 1996, il y eut une forte diminution de la proportion des couples avec des enfants de moins de 25 ans. En 1981, 43 % des couples avaient des enfants de moins de 25 ans, et ce pourcentage passait à 32 % en 1996. En chiffres absolus, il s'agit de 934 000 couples en 1981 et de 901 000 couples en 1996. De grands changements eurent lieu durant ces 15 années.

Selon les données de 1996, un ménage comprenait 2,48 personnes. Le nombre d'enfants par famille a bien varié depuis 50 ans :

- 1951 : 3,0 enfants ;
- 1981 : 2,0 enfants ;
- 1996 : 1,8 enfant.

Cette chute importante s'est effectuée surtout durant les années 60 et 70. Aujourd'hui, dans plus de huit familles sur dix, nous ne retrouvons que un ou deux enfants. Il y a moins de 1 % des familles qui comptent cinq enfants ou plus. Il y a 50 ans, près de 20 % des familles comptaient cinq enfants ou plus. Aussi, en 1951, 57 % des enfants vivaient dans des familles d'au moins quatre enfants et seulement 10 % étaient seuls à la maison. Nous comptons aujourd'hui de plus en plus de familles de taille réduite. Depuis 50 ans, il y a une inversion des situations familiales.

En 1996, nous comptions 42 % de familles avec un seul enfant. Les fratries nombreuses se font de plus en plus rares et la tendance se maintient selon les données des derniers recensements.

Quelques changements dans les structures familiales

La proportion de jeunes adolescents issus de familles intactes approche les 70 %. Un nombre important d'adolescents vivent une garde partagée (6,5 %) et 11 % habitent dans une famille recomposée. La famille monoparentale regroupe 10 % des jeunes adolescents.

La garde partagée est un phénomène très présent au Québec. En ce qui concerne notre thématique des responsabilités, il faut noter qu'il est important qu'il y ait une certaine harmonie entre l'octroi des responsabilités et la vision de la discipline chez le père et chez la mère. Pensons à une situation où l'enfant a peu ou pas de responsabilité chez sa mère, et de nombreuses tâches à assumer chez son père. Que comprend l'enfant à cela ?

Lors d'un divorce, la garde des enfants est souvent confiée aux mères. Soulignons que quatre familles monoparentales sur cinq sont matricentriques (famille monoparentale dirigée par une mère). L'absence de figure paternelle est souvent notable; pour beaucoup d'enfants qui la vivent, cette absence a certainement une incidence sur le développement de leur capacité d'assumer des responsabilités.

Quant aux divorces, l'indice de 1987 révèle qu'environ la moitié des mariages se terminent en divorces. Par ailleurs, les unions libres sont en hausse. Un enfant qui doit vivre selon différents modes de garde se voit octroyer des responsabilités qui peuvent prendre plusieurs formes. Ces considérations doivent être prises en compte. Prenons l'exemple d'un garçon qui habite une fin de semaine sur deux chez son père qui vit seul et qui, le reste du temps, vit avec sa mère qui a un nouveau conjoint comptant lui-même deux enfants. L'octroi des responsabilités risque d'être fort différent chez le père et la mère et, dans cette situation, cela est normal. Toutefois, il serait important que l'enfant ait des responsabilités à sa mesure et selon les besoins autant chez le père que chez la mère.

Il faut également souligner que l'espérance de vie est toujours en hausse. Pour les hommes, elle passe de 64,4 ans en 1951 à 75,3 ans en 1998. Pour les femmes, l'espérance de vie passe de 68,6 ans en 1951 à 81,3 ans en 1998. Notons que l'âge moyen de la population est en hausse et qu'il se situe à 38,1 ans en 2000. Nous savons aussi que les grands-parents vivent plus longtemps et qu'ils peuvent jouer un rôle très positif auprès de leurs petits-enfants.

Du côté des migrations, soulignons qu'en 1996 près d'un million de Québécois déménagent, ce qui représente 14 % de la population. Ces personnes doivent nécessairement s'adapter à de nouvelles réalités, et cela a une incidence certaine sur l'enfant. Comme responsabilité et stabilité vont de pair, ce phénomène de migration complique les choses.

La question de la responsabilité est centrale dans le développement de l'être humain. Il importe donc de prendre conscience que l'octroi précoce de responsabilités constitue un facteur de protection. En effet, un enfant qui commence hâtivement à être responsable aura plus de facilité à traverser les différentes épreuves de la vie et il développera de surcroît une estime de soi positive. Les facteurs présentés ci-dessus, des changements dans la famille jusqu'aux migrations, ont un impact certain sur l'attribution des responsabilités au jeune enfant.

Deux chercheurs, Meredith et Evans[1], soutiennent que la plupart des parents veulent que leurs enfants soient responsables. Pourtant, ils sont nombreux à ne pas savoir quoi faire avec des enfants qui ont une forte pensée autonome et qui ont peu besoin de contrôle externe. Il y a donc un lien certain entre autonomie et responsabilité. Il est clair que plus un enfant assume des responsabilités, plus il est autonome ; il appartient alors aux parents de s'ajuster.

La famille a beaucoup changé au cours des cinquante dernières années et il est fort prévisible que d'autres changements surviendront. Mais cela ne signifie pas pour autant que les valeurs de base varient. Sous ses différentes formes, la famille reste le lieu principal pour transmettre les responsabilités, les autres milieux de vie des enfants (école, service de garde, etc.) s'attachant à poursuivre cet apprentissage initié par les parents.

Les différences entre garçons et filles

La question des différences entre garçons et filles est en vogue depuis quelques années. Il est tout à fait légitime de proposer qu'il y ait une égalité dans l'octroi des responsabilités aux garçons et aux filles. Dans de nombreuses écoles, les différents intervenants attribuent les mêmes responsabilités aux filles et aux garçons. Mais

1. C. W. Meredith et T. D. Evans. « Encouragement in the family ». *Individual Psychology* 1990 46 (2) : 187-192.

plusieurs stéréotypes persistent. Ainsi, autour de l'adolescence, nous tendons à modifier cette égalité et à leur donner des responsabilités différentes. Quelques chercheurs se sont penchés sur cette question et en arrivent à certaines conclusions.

Un chercheur, Cheal[2], a réalisé en 2003 une enquête auprès d'enfants de 10-11 ans. Cette enquête porte sur les rôles sexués ainsi que sur le temps disponible des parents. Ces deux éléments étaient abordés comme influençant l'octroi des responsabilités aux enfants.

Les résultats de l'enquête laissent voir que les filles passent plus de temps aux tâches ménagères que les garçons. Quant à la théorie du temps disponible, l'enquête conclut que moins les parents ont de temps disponible, plus les tâches des enfants augmentent. Elle permet également de voir que plus il y a d'enfants dans une famille, plus grand est le besoin des parents d'être aidés dans les tâches familiales.

Ce même auteur avance de plus qu'une bonne relation avec les parents favorise l'accomplissement des tâches au nombre desquelles il mentionne : 1- faire son lit ; 2- ranger sa chambre ; 3- ranger ses effets dans la maison ; 4- garder les aires communes propres ; 5- exécuter des tâches de routine (pelouse, vidanges...).

Les facteurs qui favoriseraient l'exécution des responsabilités sont dans l'ordre : 1- le sexe de l'enfant (les filles davantage que les garçons) ; 2- les parents qui s'investissent dans des activités de bénévolat ; 3- la relation positive parent-enfant ; et 4- le nombre d'enfants de moins de 17 ans dans la maison. Ces facteurs relèvent de la socialisation des enfants, des parents comme modèles, de la relation parent-enfant et des besoins des familles.

Par ailleurs, l'auteur ajoute que le statut d'emploi des parents n'a pas toujours de signification relativement aux responsabilités

2. D. J. Cheal. « Children's home responsabilities : factors predicting children's household work ». *Social Behavior and Personality* 2003 31 (8) : 789-794.

des enfants. Ainsi, il n'est pas automatique que des parents qui ont le statut d'employés offrent plus de responsabilités à leurs enfants.

L'auteur a également découvert que les garçons assument peu de responsabilités quand aucun des parents ne travaille. Ils en assument quelques-unes lorsque l'un des deux parents travaille et beaucoup de responsabilités lorsque les deux parents ont un emploi à l'extérieur. L'auteur considère que les responsabilités assumées par les garçons répondent aux besoins des parents et de la maison ; ils répondent aux demandes parentales.

Quant aux filles, elles assument beaucoup de responsabilités lorsque l'un des parents travaille (il s'agit souvent du père). Elles en assument peu lorsque aucun des parents ne travaille et davantage lorsque les deux parents travaillent.

L'hypothèse de Cheal est que les filles prennent davantage modèle sur la mère lorsque cette dernière est à la maison. En bref, les garçons et les filles ont des rapports différents quant aux responsabilités et aux tâches domestiques.

D'autres auteurs, Pomerantz et Ruble[3] par exemple, soutiennent que les filles ont tendance à prendre davantage la responsabilité de leurs échecs que les garçons. Ils mentionnent également que l'anxiété touche davantage les filles. En prenant la responsabilité de leurs échecs, les filles connaissent de plus grands succès, mais cela peut également les mener vers l'anxiété et la dépression.

De ces diverses recherches se dégagent plusieurs leçons fort importantes. La première est que les enfants se modèlent sur ce qu'ils observent. En parlant des responsabilités chez l'enfant, il est donc inévitablement question du sens des responsabilités

3. E. M. Pomerantz et D. N. Ruble. « The role of maternal control in the development of sex differences in child self-evaluative factors ». *Child Development*, 1998 69 (2) : 458-478.

des parents. Ceux-ci sont les premiers modèles de l'enfant. C'est ainsi que les filles sont plus orientées vers des tâches ménagères alors que les garçons accomplissent des tâches qui sont marquées d'une certaine urgence.

La société change et les garçons autant que les filles peuvent accomplir des tâches identiques. Nous ne pouvons qu'encourager de tels changements. Toutefois, nos recherches nous indiquent que les rôles sont encore sexués. En somme, il faut quand même spécifier que la question du sens des responsabilités chez l'enfant n'est pas une question de genre, il s'agit d'un apprentissage.

Les responsabilités

Tout enfant doit comprendre qu'il fait partie d'une famille dont tous les membres ont des obligations et des responsabilités. Quand l'enfant a l'occasion de participer aux tâches domestiques, il a le sentiment d'appartenir à la famille. Sa contribution à cette dernière favorise l'esprit familial, comme les vacances ou les sorties. L'enfant ne doit pas se limiter à exécuter des tâches qui lui reviennent logiquement, par exemple desservir son couvert après le repas ou ranger sa chambre. Pour participer à l'esprit familial, l'enfant doit aussi collaborer à des tâches qui touchent l'ensemble de la famille, par exemple faire le ménage, mettre la table, sortir les ordures, etc.

Wallinga, Sweaney et Walters[4] ont fait une revue des responsabilités à partir de deux mesures prises respectivement en 1956 et en 1983. Ils concluent que les perceptions parentales ont très peu changé entre 1956 et 1983. Ils ajoutent que les expériences de socialisation des enfants ont une influence considérable sur les responsabilités qui seront assumées en tant que futurs adultes. Les auteurs ont remarqué que beaucoup de parents refusent de

4. C. R. WALLINGA, A. L. SWEANEY, et J. WALTERS. « The development of responsibility in young children. A 25-year view ». *Early Childhood Research Quarterly* 1987 2 (2) : 119-131.

demander aux enfants d'effectuer des tâches à la maison. Ils ont aussi remarqué, dans leur échantillonnage, que les mères qui travaillent à l'extérieur en demandent moins à leurs enfants que les mères à la maison. Ils mentionnent également que les enfants, lorsqu'ils ne sont pas sollicités pour assumer certaines tâches et responsabilités, jouent un rôle passif plutôt qu'actif.

Certains résultats sont très révélateurs. Par exemple, 92 % des mères d'enfants de 5 ans croient leurs enfants capables de ranger leurs vêtements, alors que dans les faits, 11 % des garçons et 22 % des filles le font volontiers. L'écart est considérable entre la perception des mères et la réalité. Aux mêmes âges, les filles effectuent plus de tâches et se portent plus souvent volontaires pour le faire.

Un fait est important dans la collecte des données de 1956, soit l'absence des pères dans l'étude, contrairement à celle de 1983. Des recherches plus récentes concluent que les pères ont une plus grande influence que l'on croyait. En 1985, on a prévu six expériences d'apprentissage :

1. mettre la table ;
2. trier le linge ;
3. balayer ;
4. se laver ;
5. utiliser une minuterie ;
6. ménager l'énergie.

En 1957, Walters, Stromberg et Lonian[5] ont conçu le *Children's Responsibility Scale*, une échelle d'évaluation des responsabilités de l'enfant. Il y avait certaines différences entre les années 50 et 80 quant aux attentes des parents. Par exemple, dans les années 50 les enfants se lavaient seuls les cheveux vers

5. J. Walters, F. I. Stromberg et G. Lonian. « Perceptions concerning development of responsibility in young children ». *Elementary School Journal* 1997 57 : 209-216.

l'âge de 10 ans, alors que cela se fait vers l'âge de 8 ans durant les années 80. Il y avait d'autres différences de perceptions quant au choix des vêtements, au fait d'aller au lit sans que le parent le demande et de faire des activités en dehors de la maison.

Les mères perçoivent que leurs enfants peuvent exécuter certaines tâches plus jeunes que ce que perçoivent les pères. Ces tâches vont du fait de ranger sa chambre au fait d'aider au ménage de la maison, en passant par vider la poubelle, mettre la table, essuyer la vaisselle, répondre au téléphone et prendre des messages. Il ressort que la plupart des filles prennent des responsabilités plus vite que les garçons. Il y aurait également un écart entre ce que les parents croient être un âge déterminé pour assumer certaines responsabilités et l'âge moyen où les enfants peuvent réellement accomplir les tâches en question.

Pour ce qui est des répercussions, la satisfaction personnelle constitue un grand bienfait pour l'enfant. C'est souvent pour lui autant d'occasions d'apprendre. Les parents doivent féliciter l'enfant qui adopte des comportements souhaitables. Les deux parents ont la responsabilité de montrer à faire des tâches domestiques aussi bien aux garçons qu'aux filles. Les garçons qui n'apprennent pas à les accomplir sont mal préparés pour l'avenir.

Selon l'enquête de Walters, Stromberg et Lonian sur les perceptions des parents et des intervenants quant aux responsabilités des enfants, ces derniers ont avantage à assumer des responsabilités dès la petite enfance. Les chercheurs voulaient valider certaines perceptions et les comparer avec celles des spécialistes et des parents (surtout des mères, bien sûr, puisque nous sommes en 1957 et que les pères sont exclus de l'étude...). Les auteurs cherchaient à déterminer un âge minimal pour attribuer des responsabilités, tout en faisant une distinction entre les garçons et les filles.

On a alors observé diverses catégories, comme l'hygiène, les pratiques relatives à la santé, l'habillement, les tâches ménagères, le fait de jouer seul et les relations humaines. Il y avait certains écarts de perceptions entre les spécialistes et les parents. Les résultats indiquaient que les filles prenaient des responsabilités à des âges plus précoces que les garçons.

Il ressortait de l'enquête que les parents s'adaptent à partir de l'expérience. Les attentes parentales étaient jugées comme fondamentales dans le choix des responsabilités. Aussi, il était important de se baser sur le développement de l'enfant pour y indiquer des tâches appropriées. Les auteurs proposaient de s'appuyer sur les capacités de l'enfant plutôt que sur son âge chronologique. En conclusion, ils ajoutaient qu'il était important de mieux comprendre les perceptions et les attitudes des parents pour que les enseignants comprennent bien le comportement et les besoins de l'enfant.

Selon Leonard et Delisle[6], beaucoup d'enfants n'ont pas le sens des responsabilités. Ces chercheurs associent au concept de responsabilités celui du contrôle de soi, qui comprend la discipline et la capacité d'évaluer ses actes. Selon eux, le parent doit jouer un rôle de guide à cet effet.

Voici deux exemples de responsabilités qui peuvent être confiées aux enfants, selon les tranches d'âge : vers 2 ou 3 ans, l'enfant peut se brosser les dents avec de l'aide, vers 4 ou 5 ans, il peut s'habiller seul.

On voit moins de règles strictes pour la responsabilité que pour la sécurité. Les parents se sentent souvent coupables de donner des responsabilités et les enfants savent en profiter. Il manque souvent de temps dans les familles, et les parents préfèrent s'amuser avec leurs enfants plutôt que de leur donner des tâches à accomplir.

6. J. LEONARD et A. M. DELISLE. « Comment leur donner le sens des responsabilités ? ». *Coup de pouce Parents*, mars 1997.

Les auteurs recommandent de commencer dès la petite enfance à confier des tâches aux enfants. Il faut leur permettre d'apprendre de leurs erreurs. Ainsi en est-il d'un vol de bonbons, où le parent retourne au magasin pour responsabiliser l'enfant relativement au larcin. Ces auteurs recommandent également d'éviter de rémunérer les enfants pour les tâches qu'ils effectuent. Un enfant habitué jeune à prendre des responsabilités sait tirer profit de ces apprentissages. Pensons aux enfants qui revendiquent des responsabilités dans les milieux de garde parce qu'elles les valorisent.

Meredith et Evans[7] abordent la question des encouragements qui sont fondamentaux afin de favoriser une atmosphère de coopération et de démocratie. Ces deux chercheurs s'inspirent de la théorie humaniste. En éducation, les encouragements ne sont pas nouveaux, mais sont trop peu exploités. Les auteurs mentionnent que Adler en parlait dès 1939. Lorsqu'un enfant apprend à être responsable de certaines tâches, le parent a de belles occasions de le féliciter ouvertement, ce qui favorise son estime de lui-même et son sentiment d'appartenance à la famille.

La plupart des parents veulent des enfants responsables. Néanmoins, beaucoup d'entre eux ne savent pas quoi faire avec des enfants opposants et indisciplinés.

Morrison[8] suggère d'équilibrer nos différents rôles dans la vie. Il souligne que la liberté est liée à la responsabilité. De la naissance à l'âge de 19 ans, il y a une grande évolution quant aux capacités d'assumer des responsabilités. Cette évolution est graduelle. Il ne faut pas oublier de confier des tâches adaptées au niveau de développement de l'enfant.

---

7. C. W. Meredith et T. D. Evans. *Op. cit.*

8. N. C. Morrison. « Developing responsibility : A balancing act. » *Journal of Family Psychotherapy* 1995 6 (4) : 71-75.

Taylor et collaborateurs[9] voulaient étudier les perceptions des jeunes quant aux tâches qu'ils ont dans leurs familles. Ils ont constaté que les jeunes sont appelés à effectuer plus de tâches à cause du nombre plus élevé de familles monoparentales. Lorsque les jeunes ont plus de tâches à faire, ils ont moins de temps pour d'autres activités.

Les auteurs considèrent que l'attribution de responsabilités favorise les liens entre parents et enfants. Ils font un rapport entre l'estime de soi et les responsabilités, et tout cela contribue à tisser un lien entre les jeunes et leurs parents.

Les responsabilités sont en lien direct avec l'attachement et l'estime de soi. Les jeunes qui ont des responsabilités accrues ont une bonne relation avec leurs parents, ils sont moins sujets à la dépression et ont une meilleure estime d'eux-mêmes. Ils passent plus de temps avec leurs parents lorsqu'ils ont plus de tâches. Conséquemment, ils accordent moins de temps à leurs compagnons.

Voici quelques éléments tirés des précédentes études sur lesquels nous souhaitons faire porter l'attention. D'abord, il faut se centrer sur les capacités des enfants plutôt que sur leur âge chronologique. Aussi, il ne faut pas hésiter à confier des tâches aux enfants. On doit commencer tôt et y aller graduellement. Même un jeune enfant est valorisé quand ses parents le prennent au sérieux en lui confiant de petites responsabilités. Ces dernières sont perçues comme des ententes entre les parents et l'enfant, et celui-ci sent qu'il peut en discuter. Les encouragements figurent aussi parmi les points à retenir, nous l'oublions trop souvent. Il est également important d'attribuer des responsabilités qui sont utiles pour l'enfant et qui lui donnent du

9. S. Taylor, T. Field, R. Yando et coll. « Adolescents' perceptions of family responsibility-taking ». *Adolescence*, 1997 32 (128) : 969-976.

plaisir. Nous constatons qu'il y a plusieurs similarités dans les deux périodes, entre les responsabilités qu'on croit devoir donner aux enfants.

Voici quelques exemples de responsabilités à confier aux enfants. Ces recommandations sont tirées de plusieurs articles de spécialistes qui se sont penchés sur les responsabilités qu'on peut donner à des enfants :

3 à 6 ans

- Se laver les mains.
- S'essuyer les mains sans aide (vers 5 ou 6 ans).
- Prendre son bain seul, mais avec de l'aide pour se laver le dos, le cou et les oreilles (vers 5 ou 6 ans).
- Se brosser les dents par imitation.
- Manger sans aide.
- S'habiller seul, parfois avec de l'aide.
- Suspendre son manteau à un crochet situé à sa portée.
- Participer à certaines tâches ménagères à la mesure de ses capacités (balayer sa chambre, épousseter les meubles).
- Mettre un peu d'ordre dans sa chambre avec de l'aide.
- Ranger ses jouets.
- Déposer ses vêtements dans le panier à lavage.
- Aider à plier le linge propre.
- Ranger ses vêtements dans les tiroirs.
- Faire son lit, avec de l'aide (vers 5 ou 6 ans).
- Placer les tasses, les verres et les assiettes sur la table.
- Aider à essuyer la table (vers 5 ou 6 ans).
- Nourrir le chat, le chien ou tout animal domestique.

6 à 12 ans

- Mettre de l'ordre dans sa chambre.
- Ranger les objets après utilisation.
- Aider au ménage de la maison (passer la balayeuse, épousseter les meubles).
- Aider à préparer les repas (brasser la soupe, sortir les condiments, couper les légumes).
- Mettre la table.
- Desservir la table.
- Essuyer la vaisselle.
- Laver la table.
- Faire son lit seul.
- Préparer ses vêtements pour le lendemain.
- Aider un membre plus jeune de la fratrie, pour l'habillement par exemple.
- Tenir la main d'un membre plus jeune de la fratrie dans un endroit public.
- Aller chercher des choses pour le bébé de la famille, comme des couches.
- Mettre les rebuts sur le bord du chemin (vers 10-12 ans).
- Aider au jardinage, par exemple en enlevant les mauvaises herbes.
- Effectuer ses devoirs sous supervision et avec de l'aide ponctuelle (6 à 8 ans).
- Effectuer ses devoirs seul et demander de l'aide au besoin (8 à 12 ans).

La plupart des spécialistes en éducation s'entendent sur ces responsabilités, que la plupart des enfants peuvent assumer, selon leur âge. Toutefois, c'est le parent qui est le meilleur juge, puisqu'il connaît son enfant. Il doit veiller à ne pas surprotéger son enfant, c'est-à-dire prendre ses responsabilités à sa place alors que l'enfant a la capacité d'agir.

Évidemment, on ne peut s'attendre à ce qu'un enfant assume toutes ces responsabilités. Lorsque le parent est convaincu que son jeune peut en assumer quelques-unes, il devrait demander à l'enfant de choisir les responsabilités qu'il veut assumer. Quand l'enfant a fait ses choix, le parent doit l'aider à être responsable dans la mise en œuvre des tâches en question. En effet, l'autonomie se caractérise notamment par la capacité de faire des choix tandis que la responsabilité consiste à en assumer concrètement les conséquences. Nous recommandons que le parent commence par ne confier à l'enfant qu'une seule responsabilité et qu'il en ajoute ensuite, quand la première a été bien remplie. Il nous semble important que le parent varie parfois les responsabilités qu'il confie à son enfant. Nous recommandons aussi que le parent félicite régulièrement l'enfant qui a été responsable en accomplissant ses tâches. L'enfant peut aussi profiter d'une conséquence par addition, c'est-à-dire un privilège pour souligner le fait qu'il a été responsable. La rétroaction verbale positive du parent ou la conséquence par addition confirment à l'enfant ses capacités et la fierté du parent alimente son estime de lui-même.

Conclusion

Est-ce que nous vivons une période difficile en ce qui a trait à l'éducation de nos enfants ? Sans pouvoir répondre clairement à cette question, nous constatons toutefois que divers spécialistes en éducation ainsi que des intervenants scolaires et des éducateurs constatent, depuis quelques années, un déclin de la responsabilité et de l'autorité parentales. Pour notre part, nous rencontrons de plus en plus de parents qui se disent dépassés et parfois impuissants face à leur rôle d'éducateurs. Les médias rapportent souvent des actes de violence qui étaient autrefois commis par des adultes et qui le sont aujourd'hui par des jeunes. En éducation scolaire, on déplore un manque de persévérance chez une bonne proportion d'élèves et un fort pourcentage d'abandon de l'école.

Voilà un tableau plutôt pessimiste ! Toutefois, nous sommes convaincus que ces difficultés peuvent être surmontées si la société fait des choix judicieux, c'est-à-dire en fonction de la famille et des enfants. À notre époque, les parents sont bousculés par d'innombrables responsabilités quotidiennes. Nombre d'entre eux manquent de temps et ne sont pas vraiment présents auprès de leurs enfants. Les instances gouvernementales doivent mettre en place des mesures efficaces pour mieux concilier travail et famille. Les employeurs, les milieux de garde et les écoles doivent mieux s'adapter aux réalités des parents d'aujourd'hui (adopter des horaires souples, donner un meilleur soutien financier...). En somme, la société doit considérer que la famille est sa priorité première et mettre en place les conditions nécessaires pour que les parents assument pleinement et sans contrainte leur responsabilité parentale. C'est un choix de société qu'il faut absolument faire si nous souhaitons collectivement que nos enfants deviennent des adultes responsables.

Les parents ont également des choix à faire. Ils doivent privilégier en premier lieu de tisser avec leurs enfants une véritable relation d'attachement. Cela suppose chez beaucoup d'entre eux un certain renoncement à leurs ambitions liées à la performance et aux richesses matérielles. En étant pleinement disponibles afin d'être en mesure d'exercer efficacement leur responsabilité et leur autorité parentales, ils pourront favoriser chez leurs jeunes l'intégration de valeurs humanistes de même que le sens des responsabilités.

Les parents doivent pratiquer une discipline ferme et démocratique qui tient compte de l'âge des enfants et des valeurs qu'ils veulent transmettre. Il leur revient d'encourager les bonnes actions et de faire diminuer les comportements répréhensibles en faisant vivre aux enfants les conséquences de leurs actes. Chercher des stratégies de résolution des problèmes plutôt que la répression, échanger sans encourager l'argumentation excessive, permettre l'expression adaptée des sentiments, voilà l'enjeu de toute saine discipline !

Nous croyons qu'il est très important que tous ceux et celles qui s'occupent des enfants puissent échanger entre eux afin d'acquérir une perception commune de leurs besoins. Il est essentiel qu'il y ait une plus grande cohérence entre les écoles, les milieux de garde et les parents quant aux valeurs à transmettre. Les écoles, comme les parents, doivent se réapproprier leur rôle d'autorité ferme et respectueuse.

Il faut croire au devenir de nos enfants. Il y a de l'espoir si les parents protègent et nourrissent leurs liens d'attachement avec leurs enfants, s'ils font confiance à leur intuition et s'ils n'hésitent pas à exercer un rôle d'autorité, avec fermeté et chaleur. Les parents ont des valeurs à transmettre à leurs enfants ; ceux-ci y puiseront sûrement un sens à leur vie.

Le philosophe Jean-Paul Sartre disait que « l'important (ce) n'est pas ce qu'on a fait de nous, mais ce que nous faisons nous-mêmes de ce qu'on a fait de nous. » En fait, ce qui est le plus important dans la relation parent-enfant, c'est le lien d'attachement et, par voie de conséquence, ce sont les valeurs et le sens des responsabilités que les enfants développent. Devenus adultes, ils pourront à leur tour transmettre cet héritage à leurs propres enfants. Il s'agira d'une richesse éducative qui se transmettra d'une génération à l'autre.

Ressources

Suggestions de livres pour les parents

Béliveau, M-C. *J'ai mal à l'école: troubles affectifs et difficultés scolaires.* Montréal: Éditions de l'Hôpital Sainte-Justine, 2002. 160 p. (Collection de l'Hôpital Sainte-Justine pour les parents)

Bettelheim, B. *Pour être des parents acceptables.* Paris: Laffont, 1988. 400 p.

Brazelton, T.B. et S.I. Greenspan. *Ce qu'un enfant doit avoir: ses sept besoins incontournables pour grandir, apprendre et s'épanouir.* Paris: Stock/Laurence Pernoud, 2001. 316 p.

Carquain, S. *Petites histoires pour devenir grand. Tome 2 - Des contes pour leur apprendre à bien s'occuper d'eux.* Paris: Albin Michel, 2005. 305 p.

Dumesnil, F. *Parent responsable, enfant équilibré.* Montréal: Éditions de l'Homme, 2003. 379 p. (Parents aujourd'hui)

Dumesnil, F. *Questions de parents responsables.* Montréal: Éditions de l'Homme, 2004. 247 p. (Parents aujourd'hui)

Gagnon, M, L. Jolin et L-L. Lecompte. *Le Nouveau Guide Info-Parents: livres, organismes d'aide, sites Internet.* Montréal: Éditions de l'Hôpital Sainte-Justine, 2003. 456 p. (Collection de l'Hôpital Sainte-Justine pour les parents)

Gosman, F.G. *L'enfant dictateur: comment ne pas céder à ses caprices.* Montréal: Éditions de l'Homme, 2002. 173 p. (Parents d'aujourd'hui)

Lamontagne, Y. *Être parent dans un monde de fous.* Laval: Éditions Guy Saint-Jean, 2001. 121 p.

Meirieu, Philippe. *Le monde n'est pas un jouet.* Paris: Desclée de Brouwer, 2004. 359 p.

NEUFELD, G. et M. GABOR. *Retrouver son rôle de parent.* Montréal : Éditions de l'Homme, 2005. 402 p. (Parents aujourd'hui)

PLEUX, D. *De l'enfant roi à l'enfant tyran.* Paris : Odile Jacob, 2002. 286 p.

ROBERT-OUVRAY, S.B. *Mal élevé : le drame de l'enfant sans limites.* Paris : Desclée de Brouwer, 2003. 237 p.

SAMSON, G. *L'enfant tyran : savoir dire non à l'enfant-roi.* Outremont : Quebecor, 2004. 128 p.

Suggestions de livres pour les enfants

CANTIN, M. *Pourquoi tant d'interdits ?* Paris : De la Martinière jeunesse, 2004. 105 p. (Oxygène)

DE SAINT MARS, D. *Max et Lili veulent tout, tout de suite.* Fribourg : Calligram, 2000. 45 p. (Max et Lili)

DE SAINT-MARS, D. *Max n'en fait qu'à sa tête.* Fribourg : Calligram, 2004. 45 p. (Max et Lili)

HOESTLANDT, J. et J.-F. DUMONT. *Maman ne sait pas dire non.* Paris : Flammarion, 2003. 45 p. (Castor benjamin)

LABBÉ, B. et M. PUECH. *Libre et pas libre.* Toulouse : Éditions Milan, 2001. 39 p. (Les goûters philo)

MIERMONT, J. *Les parents, pourquoi faire ?* Paris : Éditions Louis Audibert, 2002. 45 p. (Brins de psycho)

RÜHMANN, K. *Mais moi, je veux !* Zurich : Nord-Sud, 2002. 26 p. (Un livre d'images Nord-Sud)

TEBOUL, R. *Pourquoi toujours obéir ?* Paris : Éditions Louis Audibert, 2002. 45 p. (Brins de psycho)

La Collection de l'Hôpital Sainte-Justine

pour les parents

Ados : mode d'emploi

Michel Delagrave

Devant le désir croissant d'indépendance de l'adolescent et face à ses choix, les parents développent facilement un sentiment d'impuissance. Dans un style simple et direct, l'auteur leur donne diverses pistes de réflexion et d'action.

ISBN 2-89619-016-3 2005/176 p.

Aide-moi à te parler !

La communication parent-enfant

Gilles Julien

L'importance de la communication parent-enfant, ses impacts, sa force, sa nécessité. Des histoires vécues sur la responsabilité fondamentale de l'adulte : l'écoute, le respect et l'amour des enfants.

ISBN 2-922770-96-6 2004/144 p.

Aider à prévenir le suicide chez les jeunes

Un livre pour les parents

Michèle Lambin

Reconnaître les indices symptomatiques, comprendre ce qui se passe et contribuer efficacement à la prévention du suicide chez les jeunes.

ISBN 2-922770-71-0 2004/272 p.

L'allaitement maternel

(2e édition)

Comité pour la promotion de l'allaitement maternel de l'Hôpital Sainte-Justine

Le lait maternel est le meilleur aliment pour le bébé. Tous les conseils pratiques pour faire de l'allaitement une expérience réussie!

ISBN 2-922770-57-5 2002/104 p.

Apprivoiser l'hyperactivité et le déficit de l'attention

Colette Sauvé

Une gamme de moyens d'action dynamiques pour aider l'enfant hyperactif à s'épanouir dans sa famille et à l'école.

ISBN 2-921858-86-X 2000/96 p.

Au-delà de la déficience physique ou intellectuelle
Un enfant à decouvrir

Francine Ferland

Comment ne pas laisser la déficience prendre toute la place dans la vie familiale ? Comment favoriser le développement de cet enfant et découvrir le plaisir avec lui ?

ISBN 2-922770-09-5 2001/232 p.

Au fil des jours... après l'accouchement

L'équipe de périnatalité de l'Hôpital Sainte-Justine

Un guide précieux pour répondre aux questions pratiques de la nouvelle accouchée et de sa famille durant les premiers mois suivant l'arrivée de bébé.

ISBN 2-922770-18-4 2001/96 p.

Au retour de l'école...
La place des parents dans l'apprentissage scolaire
(2e édition)

Marie-Claude Béliveau

Une panoplie de moyens pour aider l'enfant à développer des stratégies d'apprentissage efficaces et à entretenir sa motivation.

ISBN 2-922770-80-X 2004/280 p.

Comprendre et guider le jeune enfant
À la maison, à la garderie

Sylvie Bourcier

Des chroniques pleines de sensibilité sur les hauts et les bas des premiers pas du petit vers le monde extérieur.

ISBN 2-922770-85-0 2004/168 p.

De la tétée à la cuillère

Bien nourrir mon enfant de 0 à 1 an

Linda Benabdesselam et autres

Tous les grands principes qui doivent guider l'alimentation du bébé, présentés par une équipe de diététistes expérimentées.

ISBN 2-922770-86-9 2004/144 p.

Le développement de l'enfant au quotidien

Du berceau à l'école primaire

Francine Ferland

Un guide précieux cernant toutes les sphères du développement de l'enfant : motricité, langage, perception, cognition, aspects affectifs et sociaux, routines quotidiennes, etc.

ISBN 2-89619-002-3 2004/248 p.

Le diabète chez l'enfant et l'adolescent

Louis Geoffroy, Monique Gonthier et les autres membres de l'équipe de la Clinique du diabète de l'Hôpital Sainte-Justine

Un ouvrage qui fait la somme des connaissances sur le diabète de type 1, autant du point de vue du traitement médical que du point de vue psychosocial.

ISBN 2-922770-47-8 2003/368 p.

Drogues et adolescence

Réponses aux questions des parents

Étienne Gaudet

Sous forme de questions-réponses, connaître les différentes drogues et les indices de consommation, et avoir des pistes pour intervenir.

ISBN 2-922770-45-1 2002/128 p.

En forme après bébé

Exercices et conseils

Chantale Dumoulin

Des exercices et des conseils judicieux pour aider la nouvelle maman à renforcer ses muscles et à retrouver une bonne posture.

ISBN 2-921858-79-7 2000/128 p.

En forme en attendant bébé
Exercices et conseils

Chantale Dumoulin

Des exercices et des conseils pratiques pour garder votre forme pendant la grossesse et pour vous préparer à la période postnatale.

ISBN 2-921858-97-5 2001/112 p.

Enfances blessées, sociétés appauvries
Drames d'enfants aux conséquences sérieuses

Gilles Julien

Un regard sur la société qui permet que l'on néglige les enfants. Un propos illustré par l'histoire du cheminement difficile de plusieurs jeunes.

ISBN 2-89619-036-8 2005/160 p.

L'enfant adopté dans le monde
(en quinze chapitres et demi)

Jean-François Chicoine, Patricia Germain et Johanne Lemieux

Un ouvrage complet traitant des multiples aspects de ce vaste sujet: l'abandon, le processus d'adoption, les particularités ethniques, le bilan de santé, les troubles de développement, l'adaptation, l'identité...

ISBN 2-922770-56-7 2003/480 p.

L'enfant malade
Répercussions et espoirs

Johanne Boivin, Sylvain Palardy et Geneviève Tellier

Des témoignages et des pistes de réflexion pour mettre du baume sur cette cicatrice intérieure laissée en nous par la maladie de l'enfant.

ISBN 2-921858-96-7 2000/96 p.

L'estime de soi des adolescents

Germain Duclos, Danielle Laporte et Jacques Ross

Comment faire vivre un sentiment de confiance à son adolescent? Comment l'aider à se connaître? Comment le guider dans la découverte de stratégies menant au succès?

ISBN 2-922770-42-7 2002/96 p.

L'estime de soi des 6-12 ans

Danielle Laporte et Lise Sévigny

Une démarche simple pour apprendre à connaître son enfant et reconnaître ses forces et ses qualités, l'aider à s'intégrer et lui faire vivre des succès.

ISBN 2-922770-44-3 2002/112 p.

L'estime de soi, un passeport pour la vie

(2e édition)

Germain Duclos

Pour développer des attitudes éducatives positives qui aideront l'enfant à acquérir une meilleure connaissance de sa valeur personnelle.

ISBN 2-922770-87-7 2004/248 p.

Et si on jouait?

Le jeu durant l'enfance et pour toute la vie

(2e édition)

Francine Ferland

Les différents aspects du jeu présentés aux parents et aux intervenants: information détaillée, nombreuses suggestions de matériel et d'activités.

ISBN 2-89619-35-X 2005/208 p.

Être parent, une affaire de cœur

(2e édition)

Danielle Laporte

Des textes pleins de sensibilité, qui invitent chaque parent à découvrir son enfant et à le soutenir dans son développement. Une série de portraits saisissants: l'enfant timide, agressif, solitaire, fugueur, déprimé, etc.

ISBN 2-89619-021-X 2005/280 p.

Famille, qu'apportes-tu à l'enfant?

Michel Lemay

Une réflexion approfondie sur les fonctions de chaque protagoniste de la famille, père, mère, enfant... et les différentes situations familiales.

ISBN 2-922770-11-7 2001/216 p.

La famille recomposée

Une famille composée sur un air différent

Marie-Christine Saint-Jacques et Claudine Parent

Comment vivre ce grand défi ? Le point de vue des adultes (parents, beaux-parents, conjoints) et des enfants impliqués dans cette nouvelle union.

ISBN 2-922770-33-8 2002/144 p.

Favoriser l'estime de soi des 0-6 ans

Danielle Laporte

Comment amener le tout-petit à se sentir en sécurité ? Comment l'aider à développer son identité ? Comment le guider pour qu'il connaisse des réussites ?

ISBN 2-922770-43-5 2002/112 p.

Grands-parents aujourd'hui

Plaisirs et pièges

Francine Ferland

Les caractéristiques des grands-parents du 21e siècle, leur influence, les pièges qui les guettent, les moyens de les éviter, mais surtout les occasions de plaisirs qu'ils peuvent multiplier avec leurs petits-enfants.

ISBN 2-922770-60-5 2003/152 p.

Guider mon enfant dans sa vie scolaire

Germain Duclos

Des réponses aux questions les plus importantes et les plus fréquentes que les parents posent à propos de la vie scolaire de leur enfant.

ISBN 2-922770-21-4 2001/248 p.

J'ai mal à l'école

Troubles affectifs et difficultés scolaires

Marie-Claude Béliveau

Cet ouvrage illustre des problématiques scolaires liées à l'affectivité de l'enfant. Il propose aux parents des pistes pour aider leur enfant à mieux vivre l'école.

ISBN 2-922770-46-X 2002/168 p.

Les maladies neuromusculaires chez l'enfant et l'adolescent

Sous la direction de Michel Vanasse, Hélène Paré, Yves Brousseau et Sylvie D'Arcy

Les informations médicales de pointe et les différentes approches de réadaptation propres à chacune des maladies neuromusculaires.

ISBN 2-922770-88-5 2004/376 p.

Musique, musicothérapie et développement de l'enfant

Guylaine Vaillancourt

La musique en tant que formatrice dans le développement global de l'enfant et la musique en tant que thérapie, qui rejoint l'enfant quel que soit son âge, sa condition physique et intellectuelle ou son héritage culturel.

ISBN 2-89619-031-7 2005/224 p.

Le nouveau Guide Info-Parents

Livres, organismes d'aide, sites Internet

Michèle Gagnon, Louise Jolin et Louis-Luc Lecompte

Voici, en un seul volume, une nouvelle édition revue et augmentée des trois *Guides Info-Parents*: 200 sujets annotés.

ISBN 2-922770-70-2 2003/464 p.

Parents d'ados

De la tolérance nécessaire à la nécessité d'intervenir

Céline Boisvert

Pour aider les parents à départager le comportement normal du pathologique et les orienter vers les meilleures stratégies.

ISBN 2-922770-69-9 2003/216 p.

Les parents se séparent...

Pour mieux vivre la crise et aider son enfant

Richard Cloutier, Lorraine Filion et Harry Timmermans

Pour aider les parents en voie de rupture ou déjà séparés à garder espoir et mettre le cap sur la recherche de solutions.

ISBN 2-922770-12-5 2001/164 p.

Responsabiliser son enfant

Germain Duclos et Martin Duclos

Apprendre à l'enfant à devenir responsable, voilà une responsabilité de tout premier plan. De là l'importance pour les parents d'opter pour une discipline incitative.

ISBN 2-89619-00-3 2005/200 p.

Santé mentale et psychiatrie pour enfants
Des professionnels se présentent

Bernadette Côté et autres

Pour mieux comprendre ce que font les différents professionnels qui travaillent dans le domaine de la santé mentale et de la pédopsychiatrie : leurs rôles spécifiques, leurs modes d'évaluation et d'intervention, leurs approches, etc.

ISBN 2-89619-022-8 2005/128 p.

La scoliose
Se préparer à la chirurgie

Julie Joncas et collaborateurs

Dans un style simple et clair, voici réunis tous les renseignements utiles sur la scoliose et les différentes étapes de la chirurgie correctrice.

ISBN 2-921858-85-1 2000/96 p.

Le séjour de mon enfant à l'hôpital

Isabelle Amyot, Anne-Claude Bernard-Bonnin, Isabelle Papineau

Comment faire de l'hospitalisation de l'enfant une expérience positive et familiariser les parents avec les différences facettes que comporte cette expérience.

ISBN 2-922770-84-2 2004/120 p.

Tempête dans la famille

Les enfants et la violence conjugale

Isabelle Côté, Louis-François Dallaire et Jean-François Vézina

Comment reconnaître une situation où un enfant vit dans un contexte de violence conjugale ? De quelle manière l'enfant qui y est exposé réagit-il ? Quelles ressources peuvent venir en aide à cet enfant et à sa famille ?

ISBN 2-89619-008-2 2004/144 p.

Les troubles anxieux expliqués aux parents

Chantal Baron

Quelles sont les causes de ces maladies et que faire pour aider ceux qui en souffrent ? Comment les déceler et réagir le plus tôt possible ?

ISBN 2-922770-25-7 2001/88 p.

Les troubles d'apprentissage : comprendre et intervenir

Denise Destrempes-Marquez et Louise Lafleur

Un guide qui fournira aux parents des moyens concrets et réalistes pour mieux jouer leur rôle auprès de l'enfant ayant des difficultés d'apprentissage.

ISBN 2-921858-66-5 1999/128 p.

Votre enfant et les médicaments : informations et conseils

Catherine Dehaut, Annie Lavoie, Denis Lebel,
Hélène Roy et Roxane Therrien

Un guide précieux pour informer et conseiller les parents sur l'utilisation et l'administration des médicaments. En plus, cent fiches d'information sur les médicaments les plus utilisés.

ISBN 2-89619-017-1 2005/336 p.

Marquis imprimeur inc.

Québec, Canada
2009

Imprimé sur du papier Silva Enviro 100% postconsommation traité sans chlore, accrédité Éco-Logo et fait à partir de biogaz.

certifié

procédé sans chlore

100 % post-consommation

archives permanentes

énergie biogaz